'26 年版

高校生の就職試験

一般常識問題集

RECRUIT PERFECT BOOK

はじめに

　就職試験は、"筆記試験" と "面接試験" に分かれています。近年は "面接試験" が重要視される傾向にありますが、"筆記試験" で基準点をクリアすることは、採用試験における基本となります。

　"面接試験" がその人の、人となりを見極めるものであるのに対して、"筆記試験" は社会人としての常識度をみるものです。企業は両者のバランスをみようとしています。

　社会人としての常識度!?　これからようやく社会に出ていこうとしている高校生にとっては、なにやら難しそうですね。しかし、中学、高校で学習したことを復習し、基本的なことがらがしっかり把握できていれば、恐れることはありません。

　"筆記試験" は明らかに点数として、個人差のある明確なデータが出てしまいます。そこで、試験対策としては、練習問題を反復学習することと、科目ごとの要点のまとめを、しっかりと頭に入れることを心がけてください。

　やりがいのもてる仕事をもち、充実した社会生活を営むことができるようになるための、ここが第一歩となります。

　本書を活用して、みごとに目標を達成されますことを祈念しています。

もくじ

● この本の使い方 ●

　本書は、高校生の就職試験における、一般常識問題集です。採用試験で出題される問題は、中学・高校で学習した基本的な問題が中心です。今までに学習してきたことを、丁寧に総復習してください。

●科目別に学習

　科目別に国語、社会、理科、数学、英語、簿記の順に載せています。自分の学習したい科目からでも、苦手科目からでもどこからでも始めることができます。

●傾向と対策で概要をチェック

　科目ごとの「傾向と対策」のなかに、出題傾向や受験対策の概要を述べています。勉強を始める前に読んで、参考にしてください。

●科目別のポイントは必ず暗記

　「〜のポイント」では、その科目のなかで必ずおぼえてほしい語句や公式をまとめました。

●練習問題で反復学習を

　「練習問題」では、間違った箇所や不明確なことがらを何度でも反復学習して、知識を完全に自分のものにしてください。

●要点解説の理解を確実に

　「解答」欄に付随している【要点解説】で、正答の理解度を深めてください。

高校生の就職　まるわかりガイド

　初めてで右も左もわからない就職試験。まずは現状を知り、就職活動の流れをつかもう。下の案内図を見て知りたいことをチェック！

まるわかりガイド案内図

1．最新の就職動向

♪ここでわかること♪

求職者のうち就職内定者はどれくらいいるのか→ p.8
高校新卒者の就職内定率はどれくらいなのか→ p.8
高校新卒者の求人数が多い産業・職業・企業規模→ p.9
高校新卒者の就職者数が多い産業・職業・企業規模→ p.9
就職して1～3年以内に辞めた人はどれくらいいるか→ p.10
就職して1～3年で辞めた人の離職理由は何か→ p.10

2．就職活動の流れ

♪ここでわかること♪

1年のときにしておくことは何か→ p.11
2年のときにしておくことは何か→ p.11
3年になったら何月に何をすべきか→ p.11

3．就職試験の内容

♪ここでわかること♪

就職試験の中身は何なのか→ p.12
企業が重視している採用基準は何か→ p.12

4．時事クイズ→ p.13 ～ 14

クイズ形式で楽しく自分の時事知識をチェックしてみよう！

1. 最新の就職動向

　厚生労働省によると、公共職業安定所の紹介を希望する令和6年3月末現在の高校新卒者数は男子約7万5千人、女子約4万6千人、合計約12万1千人で、就職内定者数は約12万人だった。

　就職内定率は99.2％であり、これは昨年同期を0.1ポイント下回っている。なお、高校新卒者の求職者数は昨年同期より4.7％減少しており、求人数は約48万2千人と、昨年同期より8.7％の増加。

　都道府県別に就職内定率を見ると、「埼玉県」「富山県」「福井県」が高い。反対に低いのは、「千葉県」「京都府」「沖縄県」。

●令和6年3月高校新卒者の就職内定状況（令和6年3月末現在）

	求人数（人）	求職者数（人）	就職内定者数(人)	求人倍率(倍)	就職内定率(%)
男	―	74,765	74,298	―	99.4
女	―	46,358	45,905	―	99.0
計	482,270	121,123	120,203	3.98	99.2

●高校新卒者の就職内定率の推移（令和6年3月末現在）

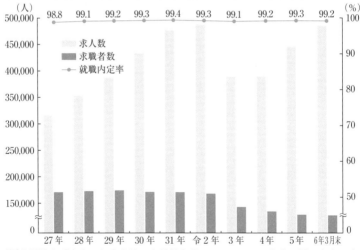

（厚生労働省「令和5年度高校・中学新卒者のハローワーク求人に係る求人・求職・就職内定状況」より作成）

求人数や就職者数は、産業や職業、企業の規模などによって大きく異なる。どの企業のどんな仕事が自分に適しているのか考えてみよう。

●産業別求人・就職者数（令和5年卒）

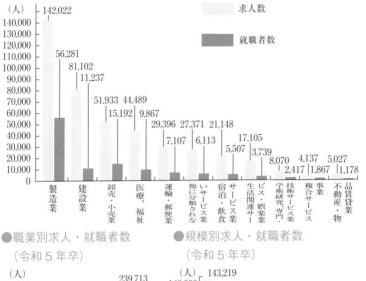

●職業別求人・就職者数
　（令和5年卒）

●規模別求人・就職者数
　（令和5年卒）

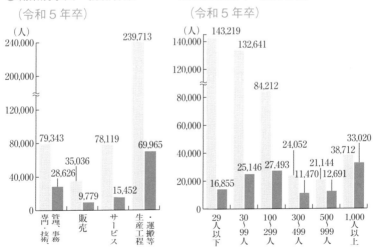

（厚生労働省「令和5年3月新規学卒者（高校）の職業紹介状況」より作成）

さて、少し視点を変えて、今度は就職後の状況を見てみよう。若年者の1〜3年以内での離職率の高さは近年特に目立っている。高校新卒者では全体の3〜4割が3年以内に離職してしまっているのだ。その理由として最も多いのが「仕事が自分に合わない」というもの。自分の適性や業界、職種についてじっくり調査することが大切だ。

●高校新卒就職者の在職期間別離職率の推移

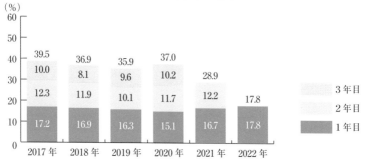

（厚生労働省の調査より作成）

●入社1年以内・3年を超えてから離職した正社員の離職理由

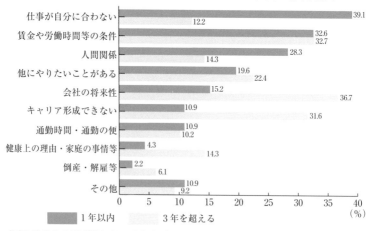

（厚生労働省委託「若年者の職業生活に関する実態調査（正社員調査）」より作成）

2．就職活動の流れ

1年	進路ガイダンス等への参加 就職模擬試験受験	1・2年でしておくべきことは、左の行事等への参加のほか、日々の学校の授業を大切にすることと遅刻・早退、欠席がないようにすることである。この2つは校内選考の際にも入社試験の際にも重要となる。 また、よりよい就職のために、「自己の適性」「業界・職種」「企業」について調べてみることも必要だ。
2年	進路適性検査受検 <u>インターンシップに参加</u> └→ 企業などの現場で 　　半日〜数日程度の 　　就業体験をする	
3年	4〜6月頃 進路希望調査に回答 進路ガイダンスに参加 適性検査受検 二者面談等	3年になったら、いよいよ就職活動が始まる。自分の希望する企業を絞り、学校の先生や家族に相談しながら、より自分に合った職場を探そう。6月1日から企業による求人申込が始まり、7月から求人票が出される。少なくとも春のうちに、一般常識などの筆記試験対策をしておきたい。また、面接・作文対策は1人ではなかなか難しい。学校の先生から指導を受け、的確な対策を立てておくようにしよう。秋は入社試験本番。一方で企業の求人は冬以降にも新たに出される。決してあきらめずに挑戦しつづけよう。内定を得られたら企業への礼状提出を忘れずに。また、社会人としてのマナーなど、入社までに自分を磨いておこう。
	求人の受付始まる 個人面談・三者面談 校内選考 履歴書記入 模擬面接 作文指導 （7〜9月頃）	
	入社試験受験 内定 （9〜12月頃）	
	就職準備期間 （1〜3月頃）	

※活動時期は、地域や年ごとに異なる場合がある。

3．就職試験の内容

　一口に就職試験といっても、企業によって異同があり、一様ではない。一般的には次のような分類となる。

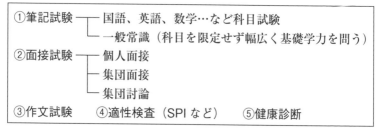

　このように大きく分けて5種類の内容がある。では、次に、企業が採用の際、どのような点を重視しているのか見てみよう。

●高校新卒者採用の際の重視項目の割合

企業規模	専攻学科	一般教養・常識	学業成績	課外活動	熱意意欲	勤労観・職業観	協調性・バランス感覚	言葉遣い・マナー	健康・体力	その他
5,000人以上	12.6	25.2	25.8	7.3	86.8	21.2	49.0	17.2	34.4	6.0
300〜999人	14.1	34.6	22.1	10.8	75.1	20.3	38.4	17.4	44.4	2.8
30〜99人	16.8	38.8	7.4	6.6	75.5	16.6	20.2	18.6	45.9	2.5

複数回答3つまで可。単位は％。
(厚生労働省「平成16年雇用管理調査結果の概況」より作成)

　企業規模によらず、「熱意・意欲」「健康・体力」は重視されている。その次に重視されるのが「一般教養・常識」と「協調性・バランス感覚」。したがって、早期から一般常識を問う試験に備えておくことは、内定獲得の絶対条件だ。本書をマスターして「筆記試験」対策を万全にしておこう。また、入社試験では時事問題もよく問われるので、日ごろから新聞やニュースを見ておくこと。まずはウォーミングアップに次の時事クイズをやってみよう。

4. 時事クイズ

☐ 2022年5月に即位した、英国ウィンザー朝第5代国王は誰か | チャールズ3世

☐ 2024年のアメリカ大統領選で、共和党のドナルド・トランプ氏と争った民主党候補は誰か | カマラ・ハリス

☐ 2022年2月、ウクライナへの軍事侵攻を開始したロシアの大統領は誰か | ウラジーミル・プーチン

☐ 2024年秋現在、3期目を務める中国の国家主席は誰か | 習近平

☐ 尹錫悦氏はどこの国の大統領か | 韓国

政治・経済

☐ 行政手続きに活用する個人番号を、全国民に割り振る制度を何というか | マイナンバー（社会保障・税番号）制度

☐ 2024年秋の自民党総裁選および首相指名選挙を経て、第102代首相となったのは誰か | 石破茂

☐ 名護市辺野古沖への移転工事をめぐり、2023年に国が初の代執行を認められ、2024年に埋め立て着工となった、米軍施設の名前は何か | 普天間基地

☐ 2014年1月に始まり、2024年から「つみたて投資枠」「成長投資枠」で新制度スタートの、個人投資家のための税制優遇制度を何というか | NISA

社会

☐ 2024年、40年ぶりに刷新された新1万円札の肖像画は誰のものか | 渋沢栄一

☐ わが国の少子高齢化を示す指標の一つ、合計特殊出生率は2023年でいくつか | 1.20

☐ わが国において、成年年齢は何歳か | 18歳

□国連サミットで採択された、2016 年から 2030 年までを対象期間とする「持続可能な開発目標」を何というか　SDGs（エスディージーズ）

□2024 年 8 月に初の臨時情報「注意」が発令されたのは、何という災害に対するものか　南海トラフ巨大地震

□2024 年、法律に「家族の介護その他の日常生活上の世話を過度に行っていると認められる子ども・若者」と明記されたのは誰のことか　ヤングケアラー

文化・スポーツ

□山中瑶子監督の『ナミビアの砂漠』が 2024 年の国際映画批評家連盟賞を受賞した、国際映画祭の名前は何か　カンヌ国際映画祭

□2024 年のパリオリンピックで、日本人女子初の陸上トラック・フィールド種目金メダリストとなったのは誰か　北口榛花（きたぐちはるか）

□2023 年に 4 大大会初優勝、ランキング史上最年少（17 歳 35 日）1 位を達成、2024 年パリパラリンピックも制した小田凱人選手の競技種目は何か　車いすテニス

□2022 年に 10 代で将棋のタイトル 5 冠を制し、2023 年には全 8 冠制覇を達成した棋士は誰か　藤井聡太（ふじいそうた）

□2026 年冬季オリンピックの開催国はどこか　イタリア

科学・環境

□2024 年に、日本初の月面着陸に成功した無人探査機の名前は何か　SLIM（スリム）

□人間の思考プロセスと同じように動作するプログラムを総称して何とよぶか　人工知能（AI）

□脱炭素社会の実現に向けて、日本政府は西暦何年までに温室効果ガス排出を実質ゼロにすることを目標にしているか　2050 年

国語

漢字を読む・書く
四字熟語・同音異義語・類義語・反対語
ことわざ・故事成語
文学作品と文学史
代表的な詩歌
文章理解・その他

●傾向と対策●

国語の出題傾向

　仕事を遂行するうえで重要視されるのは対人コミュニケーション能力です。その基礎となる「正しい文章を書く」「文意を的確にとらえる」といった国語の能力は、企業活動のあらゆる場面で必要とされ、就職試験においても大きな比重を占めます。最近の出題傾向としては、次の5分野が重視されています。

1　文字力（漢字の読み・書き）
2　語彙力（熟語・ことわざ・故事成語などの意味）
3　読解力（現代文、古文、詩歌などの文意の理解・鑑賞）
4　文章構成力（適語挿入による構成、整序など）
5　文法・文学史の知識（敬語表現、文学作品と作者など）

　文字力・語彙力は、国語の出題の3割程度を占める重要な分野です。すべての企業で出題されると考えましょう。長文読解は減少傾向とはいえ、国語の総合力を試すための出題形式として、いまだによく用いられています。

国語の受験対策

　文字力・語彙力は、中学・高校で学習した漢字の読み書きの復習とともに、やや難しい読み・書き、同音異義語の使い分け、類義語・反対語、ことわざ・故事成語の意味などに重点をおいて勉強しておくと、自信をもって試験に臨めるでしょう。

　読解力・文章構成力は、「これさえやっておけばOK！」という特効薬はありません。力をつけるには、日ごろから多くの文章に接するしかありません。新聞の社説やコラムなどを毎日読むことは、平凡ですが着実に力のつく方法です。教科書に取り上げられた小説や評論などの原典を通読しておくのもよい方法です。文法・文学史の知識は基礎的な出題が多いので、教科書を十分復習しておくことがもっとも有効な対策です。

漢字を読む

哀悼	あいとう	謳歌	おうか	凝視	ぎょうし
曖昧	あいまい	鷹揚	おうよう	形相	ぎょうそう
隘路	あいろ	嗚咽	おえつ	久遠	くおん
灰汁	あく	大晦日	おおみそか	曲者	くせもの
欠伸	あくび	白粉	おしろい	句読点	くとうてん
胡座	あぐら	億劫	おっくう	供養	くよう
小豆	あずき	諧謔	かいぎゃく	庫裏	くり
渾名	あだな	邂逅	かいこう	玄人	くろうと
行脚	あんぎゃ	快哉	かいさい	敬虔	けいけん
行灯	あんどん	改竄	かいざん	戯作	げさく
十六夜	いざよい	凱旋	がいせん	解脱	げだつ
漁火	いさりび	蓋然性	がいぜんせい	下手物	げてもの
一瞥	いちべつ	傀儡	かいらい	外道	げどう
一縷	いちる	乖離	かいり	解毒	げどく
意図	いと	案山子	かかし	解熱	げねつ
囲炉裏	いろり	神楽	かぐら	喧嘩	けんか
慇懃	いんぎん	陽炎	かげろう	号泣	ごうきゅう
魚河岸	うおがし	飛白	かすり	恍惚	こうこつ
迂闊	うかつ	割烹	かっぽう	更迭	こうてつ
団扇	うちわ	蚊帳	かや	虚空	こくう
空蟬	うつせみ	伽藍	がらん	諺	ことわざ
自惚れ	うぬぼれ	完遂	かんすい	虚無僧	こむそう
盂蘭盆	うらぼん	如月	きさらぎ	蒟蒻	こんにゃく
閏年	うるうどし	生粋	きっすい	困憊	こんぱい
蘊蓄	うんちく	詭弁	きべん	防人	さきもり
烏帽子	えぼし	肌理	きめ	雑魚	ざこ
演繹	えんえき	脚立	きゃたつ	些細	ささい
婉曲	えんきょく	杞憂	きゆう	桟敷	さじき

蹉跌	さてつ	逝去	せいきょ	逼迫	ひっぱく
茶飯事	さはんじ	脆弱	ぜいじゃく	単衣	ひとえ
五月雨	さみだれ	台詞	せりふ	誹謗	ひほう
白湯	さゆ	羨望	せんぼう	罷免	ひめん
仕種	しぐさ	相殺	そうさい	比喩	ひゆ
時雨	しぐれ	松明	たいまつ	剽軽	ひょうきん
時化	しけ	兌換	だかん	日和	ひより
嗜好	しこう	黄昏	たそがれ	敷衍	ふえん
子細	しさい	拿捕	だほ	普請	ふしん
市井	しせい	耽溺	たんでき	蒲団	ふとん
支度	したく	知己	ちき	彷彿	ほうふつ
昵懇	じっこん	蟄居	ちっきょ	朴訥	ぼくとつ
疾病	しっぺい	嫡子	ちゃくし	反古	ほご
執拗	しつよう	厨房	ちゅうぼう	補塡	ほてん
老舗	しにせ	定款	ていかん	邁進	まいしん
注連縄	しめなわ	丁稚	でっち	鳩尾	みぞおち
終焉	しゅうえん	添削	てんさく	水無月	みなづき
数珠	じゅず	投網	とあみ	無垢	むく
遵守	じゅんしゅ	逗留	とうりゅう	莫大小	メリヤス
浚渫	しゅんせつ	匿名	とくめい	猛者	もさ
成就	じょうじゅ	就中	なかんずく	弥生	やよい
精進	しょうじん	馴染み	なじみ	結納	ゆいのう
定石	じょうせき	雪崩	なだれ	所以	ゆえん
熾烈	しれつ	納戸	なんど	浴衣	ゆかた
素人	しろうと	捏造	ねつぞう	来賓	らいひん
師走	しわす	暖簾	のれん	罹災	りさい
塵埃	じんあい	刷毛	はけ	黎明	れいめい
真摯	しんし	端境期	はざかいき	廉売	れんばい
推敲	すいこう	法度	はっと	漏洩	ろうえい
出納	すいとう	囃子	はやし	狼藉	ろうぜき
杜撰	ずさん	範疇	はんちゅう	賄賂	わいろ

あいさつ	挨拶	おんびん	穏便	けんお	嫌悪
あいせき	哀惜	かいきえん	怪気炎	げんさい	減殺
あくじき	悪食	かいぼう	解剖	げんち	言質
あっせん	斡旋	かきょう	佳境	こうお	好悪
あんど	安堵	かこく	過(苛)酷	こうかつ	狡猾
いかん	遺憾	かぜ	風邪	こうでい	拘泥
いしょく	委嘱	かたぎ	気質	こうばい	勾配
いっき	一揆	かつあい	割愛	こと	糊塗
いなか	田舎	かっとう	葛藤	ごびゅう	誤謬
いぶき	息吹	かわせ	為替	さいぎ	猜疑
いんねん	因縁	かんかつ	管轄	さくご	錯誤
いんぺい	隠蔽	きいと	生糸	ざんじ	暫時
いんめつ	隠滅	きぐ	危惧	ざんしん	斬新
うかい	迂回(廻)	きせん	機先	さんだい	参内
うけおい	請負	きゅうだん	糾弾	じきひつ	直筆
うちょうてん	有頂天	きよ	寄与	しさ	示唆
うぶゆ	産湯	きょうじん	強靭	しっぺい	疾病
うんでい	雲泥	きょぎ	虚偽	しもん	諮問
えがお	笑顔	きょもう	虚妄	しゃっかん	借款
えつらん	閲覧	きんこう	均衡	じゃっき	惹起
えとく	会得	ぎんみ	吟味	しゃふつ	煮沸
えんかつ	円滑	くちく	駆逐	じゅうたい	渋滞
おうへい	横柄	くちゅう	苦衷	しゅうちゃく	執着
おうよう	鷹揚	くめん	工面	しょくたく	嘱託
おおざっぱ	大雑把	げいごう	迎合	しんぎ	真偽
おかん	悪寒	けいちょう	軽重	しんとう	浸透
おくそく	憶(臆)測	けいもう	啓蒙	しんびがん	審美眼
おしゃれ	お洒落	けねん	懸念	すいこう	遂行
おもかげ	面影	けはい	気配	すじょう	素性
おんけん	穏健	けびょう	仮病	せいち	精緻

せっしょう	折衝	てんか	転嫁	ふにん	赴任
せつじょく	雪辱	てんさく	添削	ふんきゅう	紛糾
せっちゅう	折衷	てんとう	転倒	ふんぬ	憤怒
せつな	刹那	どうさつ	洞察	へいぜい	平生
ぜんじ	漸次	とろ	吐露	へいそく	閉塞
ぞうけい	造詣	なついん	捺印	へんけん	偏見
そうごん	荘厳	なっとく	納得	へんさん	編纂
ぞうひょう	雑兵	にゅうわ	柔和	ぼうぜん	呆然
そうわ	挿話	にょじつ	如実	ぼけつ	墓穴
そじ	素地	ねんぐ	年貢	まいきょ	枚挙
そち	措置	ねんしゅつ	捻(拈)出	まいぼつ	埋没
たいじ	対峙	はあく	把握	まさつ	摩擦
たいだ	怠惰	はくだつ	剥奪	まつご	末期
たいせき	堆積	はたん	破綻	まっさつ	抹殺
だいたい	代替	ばっすい	抜粋	むじゅん	矛盾
だんがい	弾劾	はてんこう	破天荒	めんみつ	綿密
たんのう	堪能	はれんち	破廉恥	もうしゅう	妄執
だんまつま	断末魔	はんぷ	頒布	やきん	冶金
ちみつ	緻密	はんれい	凡例	ゆいごん	遺言
ちゆ	治癒	ひがん	彼岸	ゆいしょ	由緒
ちゅうよう	中庸	ひじゅん	批准	ゆうかい	誘拐
ちょうじ	弔辞	ひよく	肥沃	ゆうずう	融通
ちょうふく	重複	ひろう	披露	ゆうぜい	遊説
ちょくせつ	直截	びんじょう	便乗	らくのう	酪農
ちんちょう	珍重	ひんど	頻度	らち	拉致
ちんぷ	陳腐	ふいちょう	吹聴	りちぎ	律儀(義)
ついしょう	追従	ふうし	風刺	りんり	倫理
つや	通夜	ふしょう	不肖	るいじ	類似
ていけい	提携	ぶしょう	無(不)精	るいしん	累進
ていさい	体裁	ふぜい	風情	わいきょく	歪曲
ていねい	丁寧	ふせつ	敷設	わいしょう	矮小

20

四字熟語の読みと意味

暗中模索（あんちゅうもさく）　暗闇のなかで物を探すように、あてどなく探し求めること。

意気軒昂（いきけんこう）　意気盛んで、元気のよいこと。

以心伝心（いしんでんしん）　言葉で伝えなくても、気持ちや考えが相手に伝わること。

一期一会（いちごいちえ）　人との出会いは一生に一度と考えて、誠意をつくすべきだ。

一蓮托生（いちれんたくしょう）　結果の良し悪しにかかわらず、行動や運命を共にすること。

一攫千金（いっかくせんきん）　一度に大金を得ること。ぼろもうけすること。

一石二鳥（いっせきにちょう）　一つのことで二つの利を得ること。一挙両得。

因果応報（いんがおうほう）　よい行い、悪い行いには、それに応じたむくいがあること。

有為転変（ういてんぺん）　人の世は常に移り変わり、はかないこと。

右顧左眄（うこさべん）　周囲の思惑や形勢を気にして、ためらうこと。

紆余曲折（うよきょくせつ）　曲がりくねること。事情がこみいって複雑に変化すること。

温故知新（おんこちしん）　古い物事を研究して、新しい知識や考え方を得ること。

臥薪嘗胆（がしんしょうたん）　目的をとげるために、長い間、苦労や努力を重ねること。

我田引水（がでんいんすい）　自分に都合がよいように、物事を計らうこと。

画竜点睛（がりょうてんせい）　物事の眼目となる最後の仕上げをして、完成させること。

危機一髪（ききいっぱつ）　危険が髪の毛一本ほどの間近まで迫っていること。

疑心暗鬼（ぎしんあんき）　疑う心があると、何気ないことまで恐ろしく思えること。

曲学阿世（きょくがくあせい）　時流や権力にへつらって、真理を曲げること。

玉石混淆（ぎょくせきこんこう）　すぐれたものと劣ったものとが入り混じっているさま。

捲土重来（けんどちょうらい）　一度敗れた者が、勢いを盛り返してくること。

厚顔無恥（こうがんむち）　厚かましく、恥を恥とも思わないさま。

巧言令色（こうげんれいしょく）　言葉巧みにうわべを飾り、愛想がよいこと。

荒唐無稽（こうとうむけい）　言葉や考えに根拠がなく、でたらめなこと。

五里霧中（ごりむちゅう）　状況がわからず、見通しや判断がまったく立たないこと。

言語道断（ごんごどうだん）　言葉では表せないほど、とんでもないこと。もってのほか。

自業自得（じごうじとく）　自分でした悪事のむくいを、自分自身が受けること。

自縄自縛（じじょうじばく）　自分の言葉や行動に縛られて、苦しむこと。

時代錯誤（じだいさくご）　時代おくれな古い考え方で判断・行動すること。

四面楚歌（しめんそか）　周囲を敵に取り囲まれて、孤立すること。

縦横無尽（じゅうおうむじん）　自由自在で思う存分にふるまうさま。

周章狼狽 あわてふためくこと。うろたえてまごつくこと。

主客転倒 物事の軽重や順序を取り違えること。本末転倒。

取捨選択 必要なものと不要なものを選び分けること。

首尾一貫 始めから終わりまで、一つの考え方で貫かれていること。

枝葉末節 物事の本質から離れた、重要でない部分のこと。

支離滅裂 統一性がなくばらばらで、筋道の立たないさま。

針小棒大 針のように小さなことを、棒のように大げさにいうこと。

晴耕雨読 晴れた日には田畑を耕し、雨の日には家で書を読んで過ごすような、悠々自適の生活をすること。

青天白日 後ろ暗くないこと。疑いが晴れて無実が明らかになること。

切磋琢磨 学問や道徳を磨くこと。互いに励まし合って向上すること。

切歯扼腕 歯をくいしばり腕を握りしめて、非常にくやしがること。

絶体絶命 とても逃げられそうにないほど追いつめられた状態。

大器晩成 大人物は、往々にして通常より遅れて大成するということ。

大言壮語 実力以上に大げさに言うこと。また、その言葉。

大同小異 小さな違いはあるが、大局的には違いがないこと。

単刀直入 前置きなしに、いきなり本題や要点にはいること。

朝令暮改 命令がたびたび変更されて、あてにならないこと。

天衣無縫 人柄が天真爛漫で、飾りけのないこと。

同工異曲 外見は違うが内容はさほど違わないこと。似たり寄ったり。

東奔西走 あちらこちらと忙しくかけまわること。

不倶戴天 この世から抹殺したいほど、憎しみやうらみが深いこと。

不撓不屈 意志が強く、困難に屈しないこと。

付和雷同 自分の見識をもたず、軽々しく人の意見に同調すること。

傍若無人 人の気持ちや都合にかまわず、勝手気ままにふるまうこと。

無我夢中 何かに心を奪われて、われを忘れること。

明鏡止水 やましさやわだかまりがなく、澄みきった心境であること。

優柔不断 ぐずぐずして、なかなか決断できないさま。

羊頭狗肉 みかけは立派だが、内容がともなわないこと。

竜頭蛇尾 初めは勢いがよいが、終わりはふるわないこと。

臨機応変 その場その場に応じて、適切な対応をすること。

同音異義語の使い分け

- 異義…違う意味／同音異義語
- 異議…違う意見／異議を唱える
- 意義…価値／意義ある発見
- 意思…考え、思い／意思の疎通
- 意志…物事に対する積極的な気持ち／意志を貫く
- 委譲…権限等を下級のものに任せ譲る／政令に委譲する
- 移譲…権利等を対等な間で移し譲る／土地を移譲する
- 異同…相違、差異／両者の異同を調べる、字句の異同
- 異動…住所、地位、職務等が変わる／人事異動
- 回答…質問や照会への返事／アンケートに回答する
- 解答…問題や疑問を解いて答える／試験問題に解答する
- 開放…開け放つ／運動場を開放する、市場開放
- 解放…束縛を解く／奴隷の解放
- 過程…プロセス／製造の過程
- 課程…ある期間に割り当てた学業や仕事／教育課程
- 観賞…主に自然をながめて楽しむ／観賞魚、風景の観賞
- 鑑賞…芸術作品等を味わう／絵画の鑑賞、鑑賞に耐える
- 干渉…介入して従わせようとする／内政干渉

- 管制…管理、制限／航空管制、報道管制
- 官制…行政機関の組織・権限／官制改革
- 厚生…生活を豊かにする／福利厚生、厚生施設を作る
- 更生…生まれ変わる、再起する／会社更生法、悪の道から更生する
- 更正…税額・登記・判決等の誤りを正す／税額の更正決定、更正登記
- 対象…行為や活動の相手／調査対象、課税対象
- 対照…比較、取り合わせ／貸借対照表、好対照
- 対称…対応してつり合うこと／左右対称、対称軸
- 追求…目的物をどこまでも追い求める／利潤を追求する
- 追究…深く明らかにしようとする／真理を追究する
- 追及…あくまでも追いつめる／責任を追及する
- 保障…立場や権利を守る／安全保障、人権を保障する
- 保証…確かであることを請け合う／保証人、品質保証
- 補償…損害を補う／損害を補償する、災害補償

23

類義語と反対語

〈類義語〉…同義語・同意語ともいう

悪性＝悪質	我慢＝忍耐、辛抱	限界＝限度
斡旋＝周旋、世話	寡黙＝無口	原始＝未開
安価＝廉価	感化＝教化	倹約＝節約
安全＝無事	簡潔＝簡明	厚意＝厚志、親切
遺憾＝残念	完結＝完成	考査＝試験
異議＝異存	刊行＝出版	高騰＝騰貴
意義＝意味	肝心＝肝要	互角＝伯仲、対等
以後＝以降、以来	感染＝伝染	極楽＝天国
委託＝委任	気化＝蒸発	細心＝緻密
一生＝終生（世）	奇禍＝災難、災禍	参考＝参照
移転＝転居	企画＝計画	賛成＝同意
遺品＝形見	起工＝着工	自然＝天然
内訳＝明細	機構＝組織	実直＝律儀
永遠＝永久	記号＝符号	失望＝落胆
栄養＝滋養	基礎＝基本、根本	自白＝白状
会得＝理解	機知＝機転	借金＝負債
縁者＝親戚、親類	危篤＝重体	進歩＝発達
応接＝応対	機敏＝俊敏、敏速	祖国＝母国
応答＝返事	奇妙＝珍妙	素質＝天性
改革＝変革	寄与＝貢献	多彩＝多種、多様
快活＝活発	境涯＝境遇	著名＝有名
改善＝改良	許可＝認可	沈着＝冷静
回想＝追憶	近所＝近辺、付近	適応＝適合
介入＝干渉	苦心＝腐心	倒産＝破産
壊滅＝全滅	工面＝算段	当然＝必然
価格＝値段	愚弄＝揶揄	突然＝不意
拡大＝拡張	傾向＝風潮	納得＝了解
格別＝特別	啓発＝啓蒙	薄情＝冷淡
加勢＝助力	決行＝断行	明白＝歴然

〈反対語〉…対応語・対義語・対立語ともいう

安易↔困難	簡単↔複雑	巧妙↔拙劣
暗愚↔賢明、聡明	陥没↔隆起	個人↔団体
安全↔危険	起工↔竣工、落成	困難↔容易
異常↔正常	義務↔権利	債権↔債務
陰気↔陽気	客観↔主観	差別↔平等
韻文↔散文	求職↔求人	質疑↔応答
運動↔静止	急進↔漸進	収縮↔膨張（脹）
栄転↔左遷	急性↔慢性	消極↔積極
演繹↔帰納	及第↔落第	消費↔生産
延長↔短縮	供給↔需要	叙事↔叙情
往信↔返信	強硬↔柔軟、軟弱	進行↔停止
応分↔過分	凶作↔豊作	人工↔自然、天然
奥行↔間口	虚偽↔真実	精神↔物質
穏健↔過激	極端↔中庸	戦争↔平和
音読↔黙読／訓読	勤勉↔怠惰	先天↔後天
解散↔集合	空虚、空疎↔充実	総合↔分析
快楽↔苦痛	偶然↔必然、故意	創造↔模倣
架空↔実在	具体↔抽象	即位↔退位
革新↔保守	形式↔内容	損失↔利益
拡大↔縮小	軽率↔慎重	多弁↔寡黙、無口
可決↔否決	決裂↔妥結	特殊↔一般、普遍
過去↔現在、未来	原因↔結果	鈍感↔敏感
過剰↔不足	謙虚↔高慢	難解↔平易
過密↔過疎	原告↔被告	反抗↔服従
加盟↔脱退	現実↔理想	悲観↔楽観
歓喜↔悲哀	減少↔増加	悲報↔朗報
完結↔未完	建設↔破壊	非凡↔平凡
感情↔理性	硬貨↔紙幣	野党↔与党
間接↔直接	攻勢↔守勢	融解↔凝固
乾燥↔湿潤	肯定↔否定	浪費↔倹約、節約

おぼえておきたいことわざ・故事成語

青は藍より出でて藍より青し	弟子が師匠よりもすぐれていることのたとえ＝出藍の誉れ。
悪事千里を走る	悪いことはたちまち世間に知られてしまう。
羹にこりて膾を吹く	失敗にこりて必要以上に用心深くなること。
雨降って地固まる	悪いことがあって、かえって基礎が固まりよい結果になること。
石の上にも三年	辛抱強く行えば成功への道が開ける。
石橋をたたいて渡る	用心の上にも用心を重ねるたとえ。
井の中の蛙大海を知らず	見聞や見識が狭く、世間を知らないこと。
烏合の衆	烏の群れのように、規律も統制もない群衆。
燕雀いずくんぞ鴻鵠の志を知らんや	つまらない人物には大人物の大志を知ることはできない。
帯に短したすきに長し	中途半端で役に立たないたとえ。
蛙の子は蛙	平凡な親から非凡な子は生まれないというたとえ＝瓜のつるになすびはならぬ。
火中の栗を拾う	他人の利益のために危険をおかすこと。
渇しても盗泉の水を飲まず	たとえどんなに困っても、不正・不義の財だけは欲しがらないこと。
鼎の軽重を問う	権威や権力のある人の実力を疑い、その地位をくつがえそうとすること。
管鮑の交わり	利害を離れた、友人同士の親密な交際。
窮鼠猫をかむ	弱い者でも、追いつめられると強者に反撃することがあるというたとえ。
漁夫の利（漁父の利）	当人たちが争っているうちに、第三者が横から利を得ること。
鶏口となるも牛後となるなかれ	強大な集団の後に付き従うよりも、小さな集団でもその長となれ。
郷に入っては郷に従え	人は住んでいる地域の風俗習慣に従え。
紺屋の白袴	他人のことにばかり忙しくて、自分のことがおろそかになるたとえ。

塞翁が馬（さいおう）	人生の幸不幸は予測しがたいことのたとえ。
先んずれば（即ち）人を制す（すなわ）	人に先んじて事を行えば、優位に立つことができる＝早いが勝ち。
猿も木から落ちる	得意なことでも、ときには失敗することもある＝河童の川流れ、弘法にも筆の誤り。（かっぱ）
朱に交われば赤くなる	人は付き合う相手しだいで善悪いずれにも感化される。
栴檀は双葉より芳し（せんだん）（ふたば）	すぐれた人物は幼いときからそのきざしを見せるものである。
他山の石（とする）	自分の修養・反省の助けになる、他人の間違った言行のたとえ。
提灯に釣り鐘（ちょうちん）	物事の釣り合いがとれないことのたとえ。
出る杭（釘）は打たれる（くい）（くぎ）	頭角を現す者は、人からねたまれる。
蟷螂の斧（とうろう）（おの）	蟷螂はカマキリ。弱い者が自分の力をわきまえず強敵に立ち向かうこと。
鳶が鷹を生む（とび）（たか）	平凡な親からすぐれた子が生まれること。
捕らぬ狸の皮算用（たぬき）	不確実なことをあてにして、先々のことを計算したりすること。
二兎を追う者は一兎をも得ず（に）（と）	二つの目標を同時に追って、両方とも獲得できないこと＝虻蜂取らず。（あぶ）
猫に小判	価値があるものでももつ人によっては役に立たないことのたとえ＝豚に真珠。
寝耳に水	不意の出来事に驚くことのたとえ。
能ある鷹は爪をかくす	力のある人は、むやみにそれを現さない。
覆水盆に返らず（ふくすい）	一度言ったりしたりしたことは、取り返しがつかない。
刎頸の交わり（ふんけい）	生死をともにできるほどに親しい交際。
待てば海路の日和あり（ひより）	あせらずに待てば、やがて好機が訪れる。
病膏肓に入る（こうこう）（い）	病気が重くなり治る見込みがなくなる。転じて、悪習や物事への熱中が度を超す。
李下に冠を正さず（りか）（かんむり）	人に疑われやすい行動は避けるべきである。

日本文学の人と作品

〈奈良時代〉

人	作品
太安万侶	古事記（編）
舎人親王	日本書紀（編）
大伴家持	万葉集（編）

〈平安時代〉

人	作品
紀貫之	古今和歌集（編）、土佐日記
清少納言	枕草子
紫式部	源氏物語

〈鎌倉時代～安土桃山時代〉

人	作品
藤原定家	新古今和歌集（編）
鴨長明	方丈記
兼好法師	徒然草
世阿弥	風姿花伝（花伝書）

〈江戸時代〉

人	作品
井原西鶴	好色一代男、日本永代蔵、世間胸算用
松尾芭蕉	おくのほそ道
近松門左衛門	曾根崎心中、国性爺合戦、心中天網島
上田秋成	雨月物語
十返舎一九	東海道中膝栗毛
曲亭馬琴	南総里見八犬伝

〈明治時代以降〉

人	作品
坪内逍遥	小説神髄、当世書生気質
二葉亭四迷	浮雲
幸田露伴	五重塔
樋口一葉	たけくらべ
尾崎紅葉	金色夜叉
泉鏡花	高野聖、婦系図
森鷗外	舞姫、雁、山椒大夫、高瀬舟、阿部一族
島崎藤村	若菜集、破戒
与謝野晶子	みだれ髪
夏目漱石	吾輩は猫である、草枕、こころ、三四郎
田山花袋	蒲団、田舎教師
石川啄木	一握の砂
谷崎潤一郎	刺青、春琴抄、細雪
武者小路実篤	お目出たき人、友情
菊池寛	父帰る
芥川龍之介	羅生門、鼻、河童
志賀直哉	城の崎にて、暗夜行路
宮沢賢治	春と修羅
小林多喜二	蟹工船
川端康成	雪国、伊豆の踊子
坂口安吾	白痴、堕落論
太宰治	斜陽、人間失格
井上靖	氷壁、天平の甍
三島由紀夫	金閣寺、仮面の告白
安部公房	赤い繭、砂の女
遠藤周作	沈黙、海と毒薬
大江健三郎	死者の奢り、飼育
司馬遼太郎	梟の城、坂の上の雲
五木寛之	朱鷺の墓、青春の門
井上ひさし	手鎖心中、吉里吉里人
村上春樹	ノルウェイの森、1Q84
山田詠美	ベッドタイムアイズ
俵万智	サラダ記念日
吉本ばなな	キッチン、TUGUMI

外国文学の人と作品

〈古代〉

ホメロス	イリアス、オデュッセイア
司馬遷（しばせん）	史記
ソフォクレス	オイディプス王
プラトン	ソクラテスの弁明

〈中世〉

白居易（はくきょい）	長恨歌
マルコ・ポーロ	東方見聞録
ダンテ	神曲

〈近世〜近代〉

ボッカチオ	デカメロン
チョーサー	カンタベリー物語
施耐庵・羅貫中（したいあん・らかんちゅう）	水滸伝（すいこでん）
呉承恩	西遊記
セルバンテス	ドン・キホーテ
シェイクスピア	マクベス、ベニスの商人、ハムレット
モンテーニュ	随想録
トマス・モア	ユートピア
ミルトン	失楽園
モリエール	人間嫌い、守銭奴（しゅせんど）
スウィフト	ガリバー旅行記
曹雪芹（そうせっきん）	紅楼夢
ルソー	エミール、社会契約論

〈19世紀〉

ゲーテ	ファウスト、若きウェルテルの悩み
シラー	群盗
スタンダール	赤と黒
ユーゴー	レ・ミゼラブル
フローベール	ボヴァリー夫人
ゾラ	居酒屋、ナナ
ボードレール	悪の華
モーパッサン	女の一生
ドストエフスキー	罪と罰、白痴
トルストイ	戦争と平和、復活
イプセン	人形の家
アンデルセン	絵のない絵本

〈20世紀〉

ジッド	背徳者、狭き門
ゴーリキー	どん底
チェーホフ	桜の園、かもめ
メーテルリンク	青い鳥
カフカ	変身
魯迅（ろじん）	阿Q正伝、狂人日記
モーム	月と6ペンス
ロマン・ロラン	ジャン・クリストフ
ヘミングウェイ	武器よさらば
パール・バック	大地
ミッチェル	風と共に去りぬ
スタインベック	怒りの葡萄（ぶどう）
レマルク	西部戦線異状なし
サルトル	嘔吐（おうと）
カミュ	異邦人、ペスト
ボーヴォワール	第二の性
サガン	悲しみよこんにちは
ソルジェニーツィン	イワン・デニーソヴィチの一日
マルケス	百年の孤独
カズオ・イシグロ	日の名残り

練習問題　漢字を読む・書く | 解答・要点解説 p.34〜35

1 次の漢字の読み方を（　）のなかに書きなさい。

1　会釈（　　　）	2　成就（　　　）	3　軽蔑（　　　）
4　示唆（　　　）	5　肥沃（　　　）	6　怠慢（　　　）
7　妥当（　　　）	8　遵守（　　　）	9　珍重（　　　）
10　意図（　　　）	11　仮病（　　　）	12　矛盾（　　　）
13　凡例（　　　）	14　風情（　　　）	15　刹那（　　　）
16　呆然（　　　）	17　措置（　　　）	18　弛緩（　　　）

2 次の漢字の読み方を（　）のなかにカタカナで書きなさい。

1　包摂（　　　）	2　更迭（　　　）	3　猶予（　　　）
4　悪寒（　　　）	5　出納（　　　）	6　汚染（　　　）
7　諮問（　　　）	8　画策（　　　）	9　掌握（　　　）
10　発端（　　　）	11　糊塗（　　　）	12　弊害（　　　）
13　拘泥（　　　）	14　建立（　　　）	15　添付（　　　）

3 次の動植物名の読み方を（　）のなかに書きなさい。

1　蛍（　　　）	2　土筆（　　　）	3　紫陽花（　　　）
4　蟻（　　　）	5　南瓜（　　　）	6　秋刀魚（　　　）
7　粟（　　　）	8　雲雀（　　　）	9　女郎花（　　　）
10　筍（　　　）	11　百足（　　　）	12　無花果（　　　）
13　猪（　　　）	14　胡桃（　　　）	15　啄木鳥（　　　）

4 次の漢字の読み方を（　）のなかに書きなさい。

1　十六夜（　　　）	2　生粋（　　　）	3　草履（　　　）
4　端境期（　　　）	5　気障（　　　）	6　刺青（　　　）
7　三味線（　　　）	8　時雨（　　　）	9　海苔（　　　）
10　未曾有（　　　）	11　隘路（　　　）	12　硝子（　　　）
13　大晦日（　　　）	14　胡座（　　　）	15　松明（　　　）

5 次のカタカナの読みの漢字を（　）のなかに書きなさい。

1	ダキョウ（　　）	2	ユイゴン（　　）	3	ヒヤク（　　）
4	ジキヒツ（　　）	5	ヘンケン（　　）	6	モホウ（　　）
7	ビミョウ（　　）	8	コクフク（　　）	9	ナダレ（　　）
10	ルイセキ（　　）	11	カツアイ（　　）	12	アンピ（　　）
13	ナットク（　　）	14	ユウワク（　　）	15	ヒミツ（　　）
16	テイネイ（　　）	17	ベンゼツ（　　）	18	フシギ（　　）

6 次のカタカナの部分を漢字になおし、（　）のなかに書きなさい。

1　チツジョ（　　）を守る。　　2　シンチョウ（　　）な審議。
3　ワクセイ（　　）の観測。　　4　メイリョウ（　　）な定義。
5　ジモク（　　）を集める。　　6　誤りをゼセイ（　　）する。
7　深くシサク（　　）する。　　8　カダイ（　　）に期待する。
9　メンミツ（　　）な計画。　　10　害虫をクジョ（　　）する。
11　グウゼン（　　）の一致。　　12　弁解のヨチ（　　）がない。

7 次のカタカナの部分を漢字で書きなさい。

1　中小企業をタイショウ（　　）とするユウシ（　　）制度。
2　セイヒン（　　）のケッカン（　　）を明らかにする。
3　鋭いシンビガン（　　）を感じさせるズイヒツ（　　）。
4　センパク（　　）な知識をフイチョウ（　　）する。
5　確定シンコク（　　）によって税金のカンプ（　　）を受ける。
6　ジタイ（　　）が紛糾して、シュウシュウ（　　）がつかない。

8 次のカタカナに適する漢字を〔　〕から選び、（　）に記号で答えなさい。

1　（　　）カンペキな技術。　　〔ア完璧　イ完碧　ウ完壁〕
2　（　　）国会をショウシュウする。　〔ア招集　イ紹集　ウ召集〕
3　（　　）問題のカクシンに迫る。　〔ア確信　イ革新　ウ核心〕
4　（　　）責任をテンカする。　　〔ア転嫁　イ添加　ウ転化〕
5　（　　）ギョウセキが好調な会社。　〔ア業積　イ業績　ウ業責〕

9 次のカタカナの部分を漢字で書きなさい。

1　シュギョウ（　　　）僧が朝のおツト（　　　）めをする。

2　原価をサクゲン（　　　）して収益の向上をハカ（　　　）る。

3　ツツシ（　　　）んでシャジ（　　　）を述べる。

4　自分の行いをカエリ（　　　）みてク（　　　）いる。

5　お客さんに席をスス（　　　）める心ヅカ（　　　）い。

10　【例】にならって、次の下線部の漢字が正しければ○をつけ、誤りがあればなおしなさい。

【例】　実力（　○　）を公使（公→行）する。

1　社会保健（　　　）も更生（　　　）施設も充実している。

2　学歴（　　　）よりも実力主義で人材を登用（　　　）する。

3　中庸（　　　）と誠実を人生の真情（　　　）とする。

4　絶賛（　　　）を浴びて宇頂天（　　　）になる。

5　意見の総意（　　　）はあるが大勢（　　　）に影響はない。

6　破天候（　　　）な行動に努肝（　　　）を抜かれた。

11　次のカタカナを適切な漢字になおし、（　　）内に記入しなさい。

1　アヤマ
- 歴史的な（　　　）ちを清算する。
- 迷惑をかけたことを（　　　）る。

2　キ
- この薬は頭痛によく（　　　）く。
- 右（　　　）きの人が圧倒的に多い。

3　カタ
- 守りを（　　　）める。
- あの人は（　　　）い人柄だ。
- 表現が（　　　）い。

4　イタ
- 家が（　　　）む。
- 足を（　　　）める。
- 野菜を油で（　　　）める。

5　タ
- 型紙どおりに生地を（　　　）つ。
- 弁が（　　　）つ。
- 家を（　　　）てなおす。

12 次の下線部の漢字は読み方を書き、カタカナの部分は漢字になおしなさい。

　　日本国民は、1 <u>コウキュウ</u>（　　　　　　）の平和を念願し、人間相互の関係を支配する 2 <u>崇高</u>（　　　　　　　）な理想を深く自覚するのであって、平和を愛する諸国民の公正と 3 <u>シンギ</u>（　　　　　　）に信頼して、われらの安全と生存を 4 <u>ホジ</u>（　　　　　　　）しようと決意した。われらは、平和を 5 <u>維持</u>（　　　　　）し、6 <u>センセイ</u>（　　　　　）と 7 <u>隷従</u>（　　　　）、8 <u>アッパク</u>（　　　　　　）と 9 <u>偏狭</u>（　　　　　）を地上から永遠に除去しようと努めている国際社会において、10 <u>名誉</u>（　　　　　）ある地位を 11 <u>シ</u>（　　　　　）めたいと思う。われらは、全世界の国民が、ひとしく 12 <u>キョウフ</u>（　　　　）と 13 <u>ケツボウ</u>（　　　　　）から 14 <u>マヌカ</u>（　　　　　　）れ、平和のうちに生存する 15 <u>ケンリ</u>（　　　　　）を有することを 16 <u>カクニン</u>（　　　　　）する。

13 次の下線部の漢字は読み方を書き、カタカナの部分は漢字になおしなさい。

1　伝統の芸を <u>ケイショウ</u>（　　　　　　）するために、<u>寸暇</u>（　　　　　）を惜しんで <u>稽古</u>（　　　　　）に <u>ボットウ</u>（　　　　　　）する。

2　<u>ケンアン</u>（　　　　　　）事項を解決するには、<u>抜本</u>（　　　　　）的な社内 <u>キコウ</u>（　　　　　　）の改革が不可欠である。

3　IT 技術の <u>キョウイ</u>（　　　　　　）的な進歩は、経済のグローバル化と同時に、<u>ヒンプ</u>（　　　　　）の差や <u>飢餓</u>（　　　　　）の拡大をもたらしたという見解がある。

4　大規模地震による <u>ジンダイ</u>（　　　　　　）な被害が起きた場合、あらゆる <u>躊躇</u>（　　　　　）や <u>逡巡</u>（　　　　　）を <u>ハイ</u>（　　　　　）し、<u>ヒサイ</u>（　　　　　）者の救助を最優先にすべきである。

5　<u>シンコウ</u>（　　　　　　）のあった旧友の <u>訃報</u>（　　　　　）に <u>ショウゲキ</u>（　　　　　）を受け、<u>哀惜</u>（　　　　　）の念にたえない。

6　人口に <u>膾炙</u>（　　　　　）した <u>老舗</u>（　　　　　）へ出かけて、店の <u>風情</u>（　　　　　）を楽しみ、料理を <u>タンノウ</u>（　　　　　　）した。

1 1—えしゃく 2—じょうじゅ 3—けいべつ 4—しさ 5—ひよく 6—たいまん 7—だとう 8—じゅんしゅ 9—ちんちょう 10—いと 11—けびょう 12—むじゅん 13—はんれい 14—ふぜい 15—せつな 16—ぼうぜん 17—そち 18—しかん

2 1—ホウセツ 2—コウテツ 3—ユウヨ 4—オカン 5—スイトウ 6—オセン 7—シモン 8—カクサク 9—ショウアク 10—ホッタン 11—コト 12—ヘイガイ 13—コウデイ 14—コンリュウ 15—テンプ

3 1—ほたる 2—つくし 3—あじさい 4—あり 5—かぼちゃ 6—さんま 7—あわ 8—ひばり 9—おみなえし 10—たけのこ 11—むかで 12—いちじく 13—いのしし 14—くるみ 15—きつつき

4 1—いざよい 2—きっすい 3—ぞうり 4—はざかいき 5—きざ 6—いれずみ 7—しゃみせん 8—しぐれ 9—のり 10—みぞう 11—あいろ 12—がらす 13—おおみそか 14—あぐら 15—たいまつ
【要点解説】 2「なまいき」（生意気）と誤読しないように。3草鞋（わらじ）、下駄（げた）もおぼえておこう。 6「しせい」とも読む。

5 1—妥協 2—遺言 3—飛躍 4—直筆 5—偏見 6—模倣 7—微妙 8—克服 9—雪崩 10—累積 11—割愛 12—安否 13—納得 14—誘惑 15—秘密 16—丁寧 17—弁舌 18—不思議

6 1—秩序 2—慎重 3—惑星 4—明瞭 5—耳目 6—是正 7—思索 8—過大 9—綿密 10—駆除 11—偶然 12—余地

7 1—対象、融資 2—製品、欠陥 3—審美眼、随筆 4—浅薄、吹聴 5—申告、還付 6—事態、収拾

8 1—ア 2—ウ 3—ウ 4—ア 5—イ
【要点解説】 2「召集」は、上級者が下級者を呼び集める意味があり、国会議員を召集する、兵役に召集するなどと使う。「招集」は会合のため

に人を招き集めること。委員会を招集する、株主総会を招集するなど。地方自治体の議会は、地方自治体の首長が招集する。

9 1―修行、勤 2―削減、図 3―謹、謝辞 4―省、悔 5―勧、遣
【要点解説】 1「修行」は仏道や武道など、「修業」は一般用語で、学問や技術、職業など。5「勧める」は勧誘・奨励、「薦める」は推薦の意味。

10 1―健→険、更→厚 2―暦→歴、○ 3―○、真情→信条 4―○、宇→有 5―総意→相違、○ 6―候→荒、努→度
【要点解説】 1「更生」は生まれ変わるの意味で、会社更生法、更生して再出発などと用いる。「厚生」は生活を豊かにするの意味。

11 1―過、謝 2―効、利 3―固、堅、硬 4―傷、痛、炒 5―裁、立、建

12 1―恒久 2―すうこう 3―信義 4―保持 5―いじ 6―専制 7―れいじゅう 8―圧迫 9―へんきょう 10―めいよ 11―占 12―恐怖 13―欠乏 14―免 15―権利 16―確認
【要点解説】 日本国憲法前文からの出題である。

13 1―継承、すんか、けいこ、没頭 2―懸案、ばっぽん、機構 3―驚異、貧富、きが 4―甚大、ちゅうちょ、しゅんじゅん、排、被災 5―親交、ふほう、衝撃、あいせき 6―かいしゃ、しにせ、ふぜい、堪能

ここをチェック

- 知事と千々―「じ・ず」と「ぢ・づ」の書き分け
- 原則として「じ・ず」と書く。ただし、次の2点は例外。
- 二語の連合によって生じた「ぢ・づ」…はなぢ（鼻血）、いれぢえ（入れ知恵）、ちかぢか（近々）、～ぢから（力）、～ぢょうし（調子）、みそづけ（味噌漬け）、みかづき（三日月）など
- 同音の連呼による「ぢ・づ」…ちぢむ（縮む）、ちぢ（千々）、つづみ（鼓）、つづく（続く）など

1 次の四字熟語の□にあてはまる漢字をア〜エから選びなさい。

1　危機一□　（　　）　　ア　発　イ　髪　ウ　瞬　エ　存

2　曲学□世　（　　）　　ア　直　イ　当　ウ　現　エ　阿

3　□中模索　（　　）　　ア　暗　イ　闇　ウ　安　エ　案

4　当□即妙　（　　）　　ア　落　イ　意　ウ　日　エ　然

5　首尾一□　（　　）　　ア　員　イ　徹　ウ　貫　エ　丸

6　同□異夢　（　　）　　ア　仁　イ　屋　ウ　床　エ　工

2 次の四字熟語が正しければ○をつけ、誤りがあれば訂正しなさい。

1　青天白日　（　　　　　）　　2　無我無中　（　　　　　）

3　短刀直入　（　　　　　）　　4　意気軒昂　（　　　　　）

5　絶対絶命　（　　　　　）　　6　千載一偶　（　　　　　）

7　朝三暮四　（　　　　　）　　8　質実壮健　（　　　　　）

3 （　　　）に適切な漢字を入れて四字熟語を完成し、その意味をア〜クから選んで〔　　〕に記号を書きなさい。

1　（　　　）同舟…〔　　〕　　2　付和（　　　）…〔　　〕

3　（　　　）伝心…〔　　〕　　4　五里（　　　）…〔　　〕

5　（　　　）狗肉…〔　　〕　　6　（　　　）蛇尾…〔　　〕

7　自業（　　　）…〔　　〕　　8　外柔（　　　）…〔　　〕

　ア　初めは勢いがよいが、終わりはふるわないこと。

　イ　外見はものやわらかだが、心はしっかりしていること。

　ウ　自分の見識をもたず、軽々しく人の意見に同調すること。

　エ　言葉で伝えなくても、気持ちや考えが相手に伝わること。

　オ　仲の悪い者同士が、同じ場所、境遇に並び立っていること。

　カ　状況がわからず、見通しや判断がまったく立たないこと。

　キ　自分でした悪事のむくいを、自分自身が受けること。

　ク　みかけは立派だが、内容がともなわないこと。

4 次のカタカナに適する漢字を〔　　〕から選び、記号で答えなさい。

1　文章をコウセイ（　　）する。　　　〔ア更正　イ校正　ウ公正〕
2　タイショウ（　　）的な性格。　　　〔ア対象　イ対称　ウ対照〕
3　フキュウ（　　）の名作。　　　　　〔ア不朽　イ不急　ウ腐朽〕
4　電気製品のホショウ（　　）書。　　〔ア補償　イ保証　ウ保障〕
5　シセイ（　　）方針演説を行う。　　〔ア施政　イ姿勢　ウ市政〕

5 次のカタカナを文意に合うように漢字になおしなさい。

1　カンショウ
　　この彫刻は（　　　　）にたえる作品だ。
　　珍しい熱帯魚を（　　　　）する。
　　親の（　　　　）を受ける。

2　イドウ
　　営業部から人事部に（　　　　）になる。
　　二つの文献の（　　　　）を確かめる。
　　次の放牧地へ（　　　　）する。

3　セイサン
　　過去を（　　　　）して出なおす。
　　運賃の（　　　　）をする。
　　この企画には確たる（　　　　）がある。

4　カンセイ
　　航空機は（　　　　）官の指示に従って着陸する。
　　住まいは（　　　　）な住宅地にある。
　　勝利の（　　　　）をあげる。

5　シンニュウ
　　一般車両の（　　　　）を禁止する。
　　洪水で川の水が家に（　　　　）してきた。
　　泥棒に（　　　　）されないよう用心する。

6 次のカタカナを文意に合うように漢字になおしなさい。

1　ハッコウ　　条約の（　　　　）。酒の（　　　　）が進む。
2　キセイ　　　故郷に（　　　　）する。（　　　　）服を着る。
3　ケントウ　　当否を（　　　　）する。（　　　　）がはずれる。
4　トウキ　　　物価が（　　　　）する。不動産を（　　　　）する。
5　ヨウリョウ　薬の（　　　　）を守る。（　　　　）を得ない話。
6　ガイトウ　　要件に（　　　　）する。（　　　　）に繰り出す。

7 次の語の類義語としてもっとも適切な語をア〜ソから選び、記号で答えなさい。

1　簡明（　　）　　　2　共鳴（　　）　　　3　歴然（　　）

4　組織（　　）　　　5　不意（　　）　　　6　返事（　　）

7　揶揄（　　）　　　8　冷静（　　）　　　9　素質（　　）

10　算段（　　）　　11　互角（　　）　　12　貢献（　　）

　　ア　嘲笑　　イ　寄与　　ウ　愚弄　　エ　平穏　　オ　応答
　　カ　工面　　キ　突然　　ク　共感　　ケ　伯仲　　コ　援助
　　サ　機構　　シ　簡潔　　ス　明白　　セ　天性　　ソ　沈着

8　次の語の反対語としてもっとも適切な語をア〜ソから選び、記号で答えなさい。

1　起工（　　）　　　2　偶然（　　）　　　3　暗愚（　　）

4　慎重（　　）　　　5　拙劣（　　）　　　6　正統（　　）

7　極端（　　）　　　8　独創（　　）　　　9　過剰（　　）

10　供給（　　）　　11　演繹（　　）　　12　進捗（　　）

　　ア　異端　　イ　老練　　ウ　落成　　エ　模倣　　オ　過少
　　カ　不足　　キ　賢明　　ク　特殊　　ケ　需要　　コ　停滞
　　サ　故意　　シ　帰納　　ス　中庸　　セ　軽率　　ソ　巧妙

9　次の語の類義語としてもっとも適切な語を〔　　〕から選び、記号で答えなさい。

1　気さくだ　〔ア　大げさだ　イ　陽気だ　ウ　小心だ　エ　気苦労だ〕

2　疎ましい　〔ア　うっとうしい　イ　うらめしい　ウ　いとわしい〕

3　躊躇する　〔ア　たじろぐ　イ　渋る　ウ　恐れる　エ　ためらう〕

4　杜撰だ　〔ア　度しがたい　イ　いい加減だ　ウ　ずば抜けている〕

5　薄情だ　〔ア　軽薄だ　イ　慎重だ　ウ　軽率だ　エ　冷淡だ〕

6　てらう　〔ア　ひけらかす　イ　まねる　ウ　欺く　エ　ごまかす〕

7　如才ない　〔ア　面目ない　イ　臆面もない　ウ　気がきく〕

8　けげんだ　〔ア　いぶかしげだ　イ　恐ろしげだ　ウ　おどけている〕

9　浅ましい　〔ア　どぎつい　イ　さもしい　ウ　哀れだ　エ　あくどい〕

10　次の語の対義語としてもっとも適切な語を〔　　〕から選び、記号で答えなさい。

1　保守的　　〔ア　前衛的　イ　創造的　ウ　建設的　エ　革新的〕
2　こうむる　〔ア　避ける　イ　逃げる　ウ　免れる　エ　もたらす〕
3　いまだに　〔ア　ようやく　イ　すでに　ウ　ついに　エ　すぐに〕
4　感情的　　〔ア　理論的　イ　冷笑的　ウ　合理的　エ　理性的〕
5　穏健だ　　〔ア　過激だ　イ　理不尽だ　ウ　熱烈だ　エ　不穏だ〕
6　強硬だ　　〔ア　軽快だ　イ　弱小だ　ウ　軟弱だ　エ　繊細だ〕
7　清らかだ　〔ア　けがれている　イ　よこしまだ　ウ　ゆがんでいる〕
8　音を上げる　〔ア　気を吐く　イ　耐える　ウ　うろたえる〕
9　気が置けない　〔ア　気兼ねない　イ　気詰まりだ　ウ　気が重い〕

11　次の（　　）に適切な漢字を入れて類義語をつくり、〔　　〕に読み方を書きなさい。

1　傾（　　）〔　　　　　〕＝（　　　）潮〔ふうちょう〕
2　災（　　）〔さいなん〕＝（　　　）禍〔　　　　　〕
3　残（　　）〔　　　　　〕＝（　　　）憾〔いかん〕
4　気（　　）〔きか〕＝（　　　）発〔　　　　　〕
5　実（　　）〔　　　　　〕＝（　　　）儀〔りちぎ〕
6　内（　　）〔うちわけ〕＝（　　　）細〔　　　　　〕
7　天（　　）〔　　　　　〕＝（　　　）楽〔ごくらく〕

12　次の（　　）に適切な漢字を入れて反対語をつくり、〔　　〕に読み方を書きなさい。

1　権（　　）〔　　　　　〕↔（　　　）務〔ぎむ〕
2　停（　　）〔ていたい〕↔（　　　）捗〔　　　　　〕
3　空（　　）〔　　　　　〕↔（　　　）実〔じゅうじつ〕
4　曖（　　）〔あいまい〕↔（　　　）瞭〔　　　　　〕
5　分（　　）〔　　　　　〕↔（　　　）合〔そうごう〕
6　膨（　　）〔ぼうちょう〕↔（　　　）縮〔　　　　　〕
7　浪（　　）〔　　　　　〕↔（　　　）約〔けんやく〕

1 1—イ 2—エ 3—ア 4—イ 5—ウ 6—ウ

【要点解説】 1髪の毛一本ほどの間近まで危険が迫っているという意味。2「阿」の訓は「おもねる」で、こびへつらうという意味。6「同工異曲」と混同しないように。

2 1—○ 2—無中→夢中 3—短→単 4—○ 5—対→体 6—偶→遇 7—○ 8—壮→剛

【要点解説】 日常的に使う絶対などの語や、偶と遇のように字形が似た漢字で置き換えられているものは、とくに誤りを見落としがち。正確におぼえておこう。7目先の小さな相違にこだわって、同じ結果になることに気付かないこと。また、いいかげんな言葉で、人をだますこと。

3 1—呉越…オ 2—雷同…ウ 3—以心…エ 4—霧中…カ 5—羊頭…ク 6—竜頭…ア 7—自得…キ 8—内剛…イ

【要点解説】 2「不和雷同」とおぼえ違えないように。4「夢中」と書き間違えないように。

4 1—イ 2—ウ 3—ア 4—イ 5—ア

【要点解説】 4損害を補うことは「補償」、確かであることを請け合うことは「保証」、立場や権利を守ることは「保障」。

5 1—鑑賞、観賞、干渉 2—異動、異同、移動 3—清算、精算、成算 4—管制、閑静、歓声 5—進入、浸入、侵入

【要点解説】 1芸術作品などは「鑑賞」、自然物などは「観賞」。3金銭の貸借や人間関係のきまりをつけることは「清算」、金銭の過不足を計算して行うのが「精算」。

6 1—発効、発酵 2—帰省、既製 3—検討、見当 4—騰貴、登記 5—用量、要領 6—該当、街頭

7 1—シ 2—ク 3—ス 4—サ 5—キ 6—オ 7—ウ 8—ソ 9—セ 10—カ 11—ケ 12—イ

【要点解説】　7「揶揄（やゆ）」は相手を軽んじてからかうこと＝「愚弄（ぐろう）」、「嘲笑」はあざ笑うこと。8「冷静」は落ち着いてものに動じない心の状態＝「沈着」、「平穏」は変事もなくおだやかな状況をいう。12「貢献」は役に立つ行い＝「寄与」、「援助」は相手に力を貸すこと。

8　1―ウ　2―サ　3―キ　4―セ　5―ソ　6―ア　7―ス　8―エ　9―カ　10―ケ　11―シ　12―コ
【要点解説】　2「必然」も「偶然」の反対語。5「拙劣」はへたで劣っていること↔「巧妙」、「老練」は経験を積んでじょうずなこと。6「正統」の反対語は「異端」、「特殊」は「一般・普遍」の反対語。9「過剰」は余っていること↔「不足」、「過少」の反対語は「過多」。

9　1―イ　2―ウ　3―エ　4―イ　5―エ　6―ア　7―ウ　8―ア　9―イ
【要点解説】　3「ためらう」を漢字で書くと「躊躇う」。4「杜撰（ずさん）」は読みもおぼえておこう。

10　1―エ　2―ウ　3―イ　4―エ　5―ア　6―ウ　7―ア　8―イ　9―イ
【要点解説】　1「前衛的」はおもに革新的な社会運動や芸術活動に用いる。7「清らかだ」＝けがれない。9「気が（の）置けない」は気が許せないの意味に誤用しないこと。

11　1―向〔けいこう〕、風　2―難、奇〔きか〕（または災〔さいか〕、惨〔さんか〕）　3―念〔ざんねん〕、遺　4―化、蒸〔じょうはつ〕　5―直〔じっちょく〕、律　6―訳、明〔めいさい〕　7―国〔てんごく〕、極

12　1―利〔けんり〕、義　2―滞、進〔しんちょく〕　3―疎〔くうそ〕（または虚〔くうきょ〕）、充　4―昧、明〔めいりょう〕　5―析〔ぶんせき〕、総　6―張（脹）、収〔しゅうしゅく〕　7―費〔ろうひ〕、倹

1 次のことわざ・故事成語の意味をア〜コから選び、記号で答えなさい。

1　寸鉄人を刺す　　　　　　　　2　石橋をたたいて渡る

3　船頭多くして船山に登る　　　4　河童の川流れ

5　蟷螂の斧　　　　　　　　　　6　渇しても盗泉の水を飲まず

7　待てば海路の日和あり　　　　8　李下に冠を正さず

　ア　人に疑われるような行動は避けるべきである。

　イ　得意なことでも、ときには失敗することもある。

　ウ　あせらずに待てば、やがて好機が訪れる。

　エ　たとえ微力でも、根気よく努力すれば成功する。

　オ　指図する人が多くて統一がとれず、物事がうまくいかない。

　カ　弱い者が身のほどをわきまえずに強敵に立ち向かうこと。

　キ　用心の上にも用心を重ねること。

　ク　悪いことはたちまち世間に知られてしまう。

　ケ　どんなに困っても、不正・不義の財を欲しがらないこと。

　コ　短い言葉で相手の急所を鋭くつくこと。

2 次の（　　）にあてはまるものをア〜ソから選び、ことわざ・故事成語を完成しなさい。

1　（　　）の一穴天下の破れ　　2　仏の（　　）も三度

3　（　　）を追う者は山を見ず　4　快刀乱（　　）を断つ

5　（　　）に見こまれた蛙　　　6　馬の（　　）に念仏

7　良薬は（　　）に苦し　　　　8　窮鼠（　　）をかむ

9　火中の（　　）を拾う　　　10　（　　）食う虫も好きずき

11　九（　　）の一毛　　　　　12　能ある鷹は（　　）を隠す

　ア　牛　　　イ　蛇　　　ウ　鹿　　　エ　蟻　　　オ　猫

　カ　瓜　　　キ　蓼　　　ク　桃　　　ケ　栗　　　コ　麻

　サ　耳　　　シ　口　　　ス　手　　　セ　爪　　　ソ　顔

3　次の A 群のことわざに意味がもっとも似ているものを B 群から選び、記号で答えなさい。

【A 群】

1　猿も木から落ちる（　　　）
2　猫に小判　　　　（　　　）
3　蛙の子は蛙　　　（　　　）
4　豆腐にかすがい　（　　　）
5　光陰矢のごとし　（　　　）
6　提灯に釣り鐘　　（　　　）
7　花より団子　　　（　　　）
8　闇夜の提灯　　　（　　　）
9　身から出たさび　（　　　）
10　二階から目薬　　（　　　）
11　青天の霹靂　　　（　　　）
12　紺屋の白袴　　　（　　　）

【B 群】

ア　渡りに船
イ　歳月人を待たず
ウ　寝耳に水
エ　弘法にも筆の誤り
オ　医者の不養生
カ　隔靴掻痒
キ　瓜のつるになすびはならぬ
ク　のれんに腕押し
ケ　豚に真珠
コ　月とすっぽん
サ　自業自得
シ　名をすてて実をとる

4　次のことわざ・故事成語と反対の意味をもつものをア～エから選び、記号で答えなさい。

1　虎穴に入らずんば虎子を得ず（　　　）
　ア　けがの功名　　イ　君子危うきに近寄らず
　ウ　出藍の誉れ　　エ　身を捨ててこそ浮かぶ瀬もあれ

2　栴檀は双葉より芳し（　　　）
　ア　先んずれば即ち人を制す　　イ　百聞は一見に如かず
　ウ　玉磨かざれば光なし　　エ　他山の石とする

3　立つ鳥跡を濁さず（　　　）
　ア　鳶が鷹を生む　　イ　去る者は日々に疎し
　ウ　水清ければ魚すまず　　エ　後は野となれ山となれ

4　果報は寝て待て（　　　）
　ア　まかぬ種は生えぬ　　イ　禍福はあざなえる縄のごとし
　ウ　石の上にも三年　　エ　二兎を追う者は一兎をも得ず

5 次のことわざ・故事成語の意味をア〜ウから選び、記号で答えなさい。

1　塞翁が馬（　　　　）

　　ア　人生の幸不幸は予測しがたいことのたとえ。

　　イ　中途半端で役に立たないもののたとえ。

　　ウ　物事の本質から離れた重要でない部分のこと。

2　他山の石（　　　　）

　　ア　細かい部分にとらわれて、大きく全体を把握できないこと。

　　イ　自分の修養・反省の助けになる他人の間違った言行のたとえ。

　　ウ　他人が争っているうちに、利益を横取りすること。

3　角を矯めて牛を殺す（　　　　）

　　ア　小さな欠点をなおそうとして、全体をだめにしてしまうこと。

　　イ　つまらない人間には、大人物の大志を理解できない。

　　ウ　あまりに清廉潔白だと、かえって人に親しまれないこと。

4　髀肉の嘆（　　　　）

　　ア　孝行をしたいときには、すでに親がいないという嘆き。

　　イ　あれこれと取り越し苦労をすること。

　　ウ　実力や才能を発揮する機会がないという嘆き。

5　六日の菖蒲十日の菊（　　　　）

　　ア　努力をせずに成果を期待すること。

　　イ　時期に遅れて役に立たない物事のたとえ。

　　ウ　長年の努力が、わずかな不注意で水の泡になること。

6 次の（　　　）にあてはまる語を漢字で書いて、ことわざ・故事成語を完成しなさい。

1　鶏口となるも（　　　　）後となるなかれ

2　鼎の（　　　　）を問う

3　水は（　　　　）の器に従う

4　雨降って（　　　　）固まる

5　井の中の蛙（　　　　）を知らず

6　亀の甲より年の（　　　　）

7 次の（　　）に適切な語を漢字で書いて、ことわざ・故事成語を完成し、その意味をア〜ウから選んで、〔　　〕に記号で答えなさい。

1　仏作って（　　　　　）入れず　〔　　　　〕
　ア　もっとも大切なところがぬけていること。
　イ　頭角を現そうとする者は、他人からねたまれがちである。
　ウ　方法を間違えると、成果は得られないということ。

2　（　　　　　）に交われば赤くなる　〔　　　　〕
　ア　人は付き合う相手しだいで善悪いずれにも感化される。
　イ　弟子が師匠よりもすぐれていることのたとえ。
　ウ　人は自分の地位や身分に応じた願望をもつものだ。

3　覆水（　　　　）に返らず　〔　　　　〕
　ア　能力のある人は、むやみにそれを現さない。
　イ　一度言ったりしたりしたことは、取り返しがつかない。
　ウ　人の言うことを聞かないような人間は、どうしようもない。

8 次の下線部の語の読み方を（　　）に書き、ことわざ・故事成語の意味をア〜ウから選んで、〔　　〕に記号で答えなさい。

1　管鮑（　　　　　）の交わり　〔　　　　〕
　ア　生死をともにできるほどの深い交際。
　イ　幼いころからの仲のよい友だち。
　ウ　利害を離れた、友人同士の親密な交際。

2　蛍雪（　　　　　）の功　〔　　　　〕
　ア　たえず努力すれば、どんな難事も成就するということ。
　イ　苦学力行が報われること。
　ウ　賢者でも、ときには失敗するということ。

3　琴瑟（　　　　）相和す　〔　　　　〕
　ア　思いがけない幸運に恵まれること。
　イ　つかず離れずの関係を保つこと。
　ウ　夫婦が仲睦まじいさま。

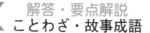

解答・要点解説
ことわざ・故事成語

1 1―コ 2―キ 3―オ 4―イ 5―カ 6―ケ 7―ウ 8―ア

【要点解説】「たとえ微力でも、根気よく努力すれば成功する」は「点滴石を穿つ」、「悪いことはたちまち世間に知られてしまう」は「悪事千里を走る」である。

2 1―エ 2―ソ 3―ウ 4―コ 5―イ 6―サ 7―シ 8―オ 9―ケ 10―キ 11―ア 12―セ

【要点解説】 2「仏の顔も三度」は、どんなにおだやかな人でも、何度もひどいことをされれば腹を立てるということ。4「快刀乱麻を断つ」は、もつれて収拾がつかない物事を鮮やかに処理すること。11「九牛の一毛」は、数多いなかのほんのわずかな部分の意味で、とるにたりないことをいう。

3 1―エ 2―ケ 3―キ 4―ク 5―イ 6―コ 7―シ 8―ア 9―サ 10―カ 11―ウ 12―オ

【要点解説】 2「猫に小判」「豚に真珠」は、価値のあるものでも、それがわからない者には何の役にも立たないことをいう。4「豆腐にかすがい」「のれんに腕押し」は、手ごたえがなく効果がないこと。「ぬかに釘」も同意。10「二階から目薬」は、効果がおぼつかずもどかしいことをいう。「隔靴掻痒」は、はいている靴の外側から足のかゆいところをかくという意味。11「青天の霹靂」「寝耳に水」は、突然起こった変動や大事件をいう。「霹靂」はかみなりのこと。

4 1―イ 2―ウ 3―エ 4―ア

【要点解説】 1「虎穴に入らずんば虎子を得ず」は、危ないことを避けてばかりいては成功できないということ。2「栴檀は双葉より芳し」は、栴檀が発芽したときから香気を放つように、大成する者は幼いころからすぐれたきざしを見せるということ。3「立つ鳥跡を濁さず」は、立ち去るときは跡を見苦しくないように始末すべきである、また引き際は潔くすべきであるということ。4「果報は寝て待て」は幸運は人の力ではどうにもならないものだから、あせらずに時機がくるのを待てということ。

5 1─ア 2─イ 3─ア 4─ウ 5─イ
【要点解説】 1「塞翁が馬」は、塞翁が育てた馬が逃げたが、後に名馬を連れて戻り、息子が落馬して足を折ったが、そのために兵士にならずにすみ、命を長らえたという故事による。4「髀肉の嘆」は、蜀の劉備が馬に乗って戦場に赴く機会のない日々が続き、ももの肉が肥え太ってしまったことを嘆いたことから。5「六日の菖蒲十日の菊」は、端午の節句（5月5日、菖蒲を飾る）の翌日の菖蒲、重陽の節句（9月9日、菊の節句ともいう）の翌日の菊ということ。

6 1─牛 2─軽重 3─方円 4─地 5─大海 6─功
【要点解説】 1「鶏口となるも牛後となるなかれ」は、強大な集団の後ろに従うよりも、たとえ小さな集団であっても、その長となれということ。

7 1─魂、ア 2─朱、ア 3─盆、イ
【要点解説】 3「覆水盆に返らず」は、出世した太公望のもとへ不遇な時代に離婚した妻が復縁を求めてきたとき、太公望は盆を傾けて水をこぼし、その水を元に戻すことができれば復縁しようと言ったという故事による。

8 1─かんぽう、ウ 2─けいせつ、イ 3─きんしつ、ウ
【要点解説】 1「生死をともにできるほどの深い交際」は「刎頸の交わり」。

ここをチェック

●扇と氷─オ列の長音を「う」と書く？「お」と書く？
・オ列の長音は、オ列のかなに「う」を添えるのが原則。
　おうぎ（扇）、こうつう（交通）、とうげ（峠）など
・ただし、次のように、オ列のかなに「お」を添える場合がいくつもある。
　おおい（多い）、おおう（覆う）、おおかみ（狼）、おおきい（大きい）、おおやけ（公）、こおり（氷）、とお（十）、とおい（遠い）、とおる（通る）、ほお（頬）、ほおずき（酸漿）など

1　次の文学作品の作者名をア〜ソから選び、記号で答えなさい。

1　浮雲（　　）　　2　老人と海（　　）　　3　戦争と平和（　　）

4　草枕（　　）　　5　春琴抄　（　　）　　6　吉里吉里人（　　）

7　破戒（　　）　　8　マクベス（　　）　　9　第二の性（　　）

10　白痴（　　）　　11　阿Ｑ正伝（　　）　　12　死者の奢り（　　）

13　河童（　　）　　14　五重塔（　　）　　15　阿部一族（　　）

ア　谷崎潤一郎	イ　島崎藤村	ウ　シェイクスピア
エ　幸田露伴	オ　二葉亭四迷	カ　トルストイ
キ　夏目漱石	ク　森鷗外	ケ　ドストエフスキー
コ　井上ひさし	サ　魯迅	シ　ヘミングウェイ
ス　芥川龍之介	セ　大江健三郎	ソ　ボーヴォワール

2　次のＡ群の作品と同じ作者の作品をＢ群から選び、記号で答えなさい。

【Ａ群】　1　にごりえ　（　　）　　　2　ペスト　　（　　）

　　　　　3　田園交響楽（　　）　　　4　走れメロス（　　）

　　　　　5　仮面の告白（　　）　　　6　伊豆の踊子（　　）

　　　　　7　田舎教師（　　）　　　　8　悲しき玩具（　　）

【Ｂ群】　ア　狭き門　　イ　金閣寺　　ウ　一握の砂　　エ　雪国

　　　　　オ　十三夜　　カ　異邦人　　キ　人間失格　　ク　蒲団

3　次に示す文学作品の冒頭を読んで、それぞれの作品名を（　　　）に、作者名を〔　　　〕に書きなさい。

1　ゆく河の流れは絶えずして…　　（　　　　　）〔　　　　　〕

2　春はあけぼの。やうやうしろく…（　　　　　）〔　　　　　〕

3　月日は百代の過客にして…　　　（　　　　　）〔　　　　　〕

4　男もすなる日記といふものを…　（　　　　　）〔　　　　　〕

5　いづれの御時にか、女御、更衣…（　　　　　）〔　　　　　〕

4 次の作者の作品をア～ナから選び、記号で答えなさい。

1　志賀直哉　　（　　　）　　2　近松門左衛門（　　　）
3　又吉直樹　　（　　　）　　4　井上靖　　　（　　　）
5　宮沢賢治　　（　　　）　　6　与謝野晶子　（　　　）
7　武者小路実篤（　　　）　　8　安部公房　　（　　　）
9　村上春樹　　（　　　）　　10　小林多喜二　（　　　）
11　十返舎一九　（　　　）　　12　坪内逍遥　　（　　　）
13　スタンダール（　　　）　　14　ボードレール（　　　）
15　イプセン　　（　　　）　　16　サルトル　　（　　　）

ア　砂の女　　　　イ　罪と罰　　　　ウ　お目出たき人
エ　嘔吐　　　　　オ　人形の家　　　カ　東海道中膝栗毛
キ　1Q84　　　　ク　悪の華　　　　ケ　南総里見八犬伝
コ　赤と黒　　　　サ　小説神髄　　　シ　銀河鉄道の夜
ス　居酒屋　　　　セ　火花　　　　　ソ　国性爺合戦
タ　蟹工船　　　　チ　天平の甍　　　ツ　たけくらべ
テ　堕落論　　　　ト　暗夜行路　　　ナ　みだれ髪

5　次の文の（　　）にあてはまるものをア～チから選び、記号で答えなさい。

1　随筆文学の傑作として有名な「（　　　）」は、（　　　）が鎌倉時代に著した作品である。
2　大伴家持が編纂に携わったと考えられる「（　　　）」は、（　　　）時代に成立した。
3　「好色一代男」は、（　　　）が（　　　）時代に著した作品である。
4　菅原孝標女が著した「（　　　）」は、（　　　）時代に成立した。
5　「（　　　）」は、江戸時代に（　　　）が中国や日本の古典に取材して著した怪異小説である。

ア　奈良　　イ　平安　　ウ　鎌倉　　エ　室町　　オ　江戸
カ　万葉集　キ　古今和歌集　ク　明月記　　ケ　更級日記
コ　徒然草　サ　新古今和歌集　シ　雨月物語　ス　上田秋成
セ　世阿弥　ソ　源実朝　　タ　兼好法師　　チ　井原西鶴

6 次の文学作品の読み方を（　　）に、それぞれの作者名を〔　　〕に漢字で書きなさい。

1　当世書生気質　（　　　　　　　　　）〔　　　　　　　　　〕
2　婦系図　　　　（　　　　　　　　　）〔　　　　　　　　　〕
3　朱鷺の墓　　　（　　　　　　　　　）〔　　　　　　　　　〕
4　檸檬　　　　　（　　　　　　　　　）〔　　　　　　　　　〕
5　心中天網島　　（　　　　　　　　　）〔　　　　　　　　　〕
6　虞美人草　　　（　　　　　　　　　）〔　　　　　　　　　〕
7　羅生門　　　　（　　　　　　　　　）〔　　　　　　　　　〕
8　敦煌　　　　　（　　　　　　　　　）〔　　　　　　　　　〕
9　細雪　　　　　（　　　　　　　　　）〔　　　　　　　　　〕
10　豊饒の海　　　（　　　　　　　　　）〔　　　　　　　　　〕

7 次の文学作品について解説した文を読んで、その作品名をア〜コから選び、記号で答えなさい。

1　藤原道綱母の自伝的な日記。夫藤原兼家とのはかない結婚生活を記し、妻としての嫉妬や苦悩から、芸術と母性愛に目覚めていくさまを、細やかに描いた。（　　　　）

2　島崎藤村の第一詩集。「初恋」「潮音」などを収め、詩壇に新生面を開いた叙情詩集である。（　　　　）

3　夏目漱石の小説。田舎の中学校に赴任した江戸っ子数学教師の正義感を、明るくユーモラスに描写した。（　　　　）

4　カフカの小説。虫になってしまった男ザムザの物語で、実存主義文学の先駆的作品である。（　　　　）

5　ダンテの詩編。地獄編、煉獄編、天国編の三部にわかれ、人間の霊魂が罪悪の世界から悔悟と浄化を経て永遠の天国へと向上する経路を描く。中世キリスト教世界観の総括であり、壮大な幻想と社会批判を含む。（　　　　）

　　ア　失楽園　　イ　十六夜日記　　ウ　神曲　　エ　蜻蛉日記
　　オ　海潮音　　カ　坊っちゃん　　キ　変身　　ク　真理先生
　　ケ　若菜集　　コ　どん底

1 1—オ　2—シ　3—カ　4—キ　5—ア　6—コ　7—イ　8—ウ　9—ソ　10—ケ　11—サ　12—セ　13—ス　14—エ　15—ク

2 1—オ　2—カ　3—ア　4—キ　5—イ　6—エ　7—ク　8—ウ
【要点解説】　1は樋口一葉、2はカミュ、3はジッド、4は太宰治、5は三島由紀夫、6は川端康成、7は田山花袋、8は石川啄木の作品。

3 1—方丈記、鴨長明　2—枕草子、清少納言　3—おくのほそ道、松尾芭蕉　4—土佐日記、紀貫之　5—源氏物語、紫式部
【要点解説】　古典文学の有名な冒頭部分では、「つれづれなるままに日暮らし硯に向かひて…」（徒然草、兼好法師）、「祇園精舎の鐘の声、諸行無常の響きあり。…」（平家物語、作者未詳）もおぼえておこう。近代の小説では「木曾路はすべて山の中である。…」（夜明け前、島崎藤村）「山路を登りながら、こう考えた。智に働けば角が立つ。…」（草枕、夏目漱石）、「親譲りの無鉄砲で小供の時から損ばかりしている。…」（坊っちゃん、夏目漱石）、「国境の長いトンネルを抜けると雪国であった。…」（雪国、川端康成）などがよく出題される。

4 1—ト　2—ソ　3—セ　4—チ　5—シ　6—ナ　7—ウ　8—ア　9—キ　10—タ　11—カ　12—サ　13—コ　14—ク　15—オ　16—エ

5 1—コ、タ　2—カ、ア　3—チ、オ　4—ケ、イ　5—シ、ス

6 1—とうせいしょせいかたぎ、坪内逍遙　2—おんなけいず、泉鏡花　3—ときのはか、五木寛之　4—れもん、梶井基次郎　5—しんじゅうてんのあみじま、近松門左衛門　6—ぐびじんそう、夏目漱石　7—らしょうもん、芥川龍之介　8—とんこう、井上靖　9—ささめゆき、谷崎潤一郎　10—ほうじょうのうみ、三島由紀夫

7 1—エ　2—ケ　3—カ　4—キ　5—ウ

1 次のＡ群、Ｂ群、Ｃ群の適切なものを線で結び、俳句を完成しなさい。

【Ａ群】	【Ｂ群】	【Ｃ群】
1　五月雨を	ア　鐘が鳴るなり	a　すみれ草
2　やれ打つな	イ　宿かるころや	b　かけめぐる
3　柿くへば	ウ　池をめぐりて	c　足をする
4　行く春や	エ　なにやらゆかし	d　法隆寺
5　名月や	オ　夢は枯れ野を	e　夜もすがら
6　山路来て	カ　つるべとられて	f　抱き心
7　旅に病んで	キ　蠅が手をすり	g　もらひ水
8　草臥れて	ク　重たき琵琶の	h　最上川
9　朝顔に	ケ　集めて早し	i　藤の花

2 次の和歌の下の句をア～カから選んで（　　）に記号で答え、万葉集・古今和歌集・新古今和歌集のいずれに収められたものか、〔　　　〕に書きなさい。

1　ひさかたの光のどけき春の日に　　　　（　　）〔　　　　　〕

2　田子の浦ゆうち出でてみれば真白にぞ　（　　）〔　　　　　〕

3　村雨の露もまだ干ぬ槙の葉に　　　　　（　　）〔　　　　　〕

4　春過ぎて夏来たるらし白栲の　　　　　（　　）〔　　　　　〕

5　秋来ぬと目にはさやかに見えねども　　（　　）〔　　　　　〕

6　きりぎりす鳴くや霜夜のさむしろに　　（　　）〔　　　　　〕

ア　衣片敷きひとりかも寝む

イ　霧立ちのぼる秋の夕暮れ

ウ　静心なく花の散るらむ

エ　衣乾したり天の香具山

オ　風の音にぞおどろかれぬる

カ　不尽の高嶺に雪は降りける

3 次の枕詞とそれがかかる言葉の組み合わせで、誤っているものを１つずつ選び、記号で答えなさい。

1 （　　　　）
ア　あをによし―春
イ　あかねさす―紫
ウ　ぬばたまの―夜
エ　ちはやぶる―神

2 （　　　　）
ア　たらちねの―母
イ　ひさかたの―天、雲
ウ　わかくさの―日
エ　あしひきの―山

3 （　　　　）
ア　ももしきの―大宮
イ　しらぬひ　―日向
ウ　やくもたつ―出雲
エ　あまざかる―ひな

4 次の俳句の季語を（　　）に、その季節を〔　　〕に書きなさい。

1　荒海や佐渡によこたふ天の川　　（　　　　　　　）〔　　　　〕
2　吹きとばす石は浅間の野分かな　（　　　　　　　）〔　　　　〕
3　閑(しづか)さや岩にしみ入る蟬の声　（　　　　　　　）〔　　　　〕
4　菜の花や月は東に日は西に　　　（　　　　　　　）〔　　　　〕
5　五月雨の降りのこしてや光堂(ひかりだう)　（　　　　　　　）〔　　　　〕
6　遠山に日の当たりたる枯野かな　（　　　　　　　）〔　　　　〕
7　埋み火や壁には客の影ぼうし　　（　　　　　　　）〔　　　　〕
8　鶯や柳のうしろ藪のまへ　　　　（　　　　　　　）〔　　　　〕

5 次の短歌を読んで、あとの問いに答えなさい。

馬鈴薯のうす紫の花に降る
雨を思へり
都の雨に

1　作者はどこにいるか。短歌のなかの言葉を用いて答えなさい。
（　　　　　　　）

2　この短歌に込められた作者の思いとして、もっともふさわしいものをア～エから選び、記号で答えなさい。　（　　　）
ア　家族への愛情
イ　自然に対する親しみ
ウ　ふるさとへの郷愁
エ　旅へのあこがれ

3　この短歌の作者をア～ウから選び、記号で答えなさい。（　　　）
ア　石川啄木
イ　斎藤茂吉
ウ　与謝野晶子

6 次のA〜Cの詩を読んで、あとの問いに答えなさい。

　A　まだあげ初めし前髪の
　　　林檎のもとに見えしとき
　　　前にさしたる花櫛の
　　　花ある君と思ひけり（後略）

　B　けふのうちに
　　　とほくへいってしまふわたくしのいもうとよ
　　　みぞれがふっておもてはへんにあかるいのだ（後略）

　C　静物のこころは怒り
　　　そのうはべは哀しむ
　　　この器物の白き瞳にうつる
　　　窓ぎはのみどりはつめたし。

1　Aの詩の作者をア〜ウから選び、記号で答えなさい。（　　　）
　ア　萩原朔太郎　　イ　島崎藤村　　ウ　宮沢賢治

2　Bの詩の題名をア〜ウから選び、記号で答えなさい。（　　　）
　ア　永訣の朝　　イ　静物　　ウ　初恋

3　Cの詩が収められている詩集の題名をア〜ウから選び、記号で
　答えなさい。　　　　　　　　　　　　　　　　　　（　　　）
　ア　若菜集　　イ　純情小曲集　　ウ　春と修羅

7 次の詩歌の作者をア〜カから選び、記号で答えなさい。

1　われと来て遊べや親のない雀　　　　　　　　　　（　　　）
2　金色のちひさき鳥の形して銀杏散るなり夕日の岡に（　　　）
3　春の海終日のたりのたりかな　　　　　　　　　　（　　　）
4　向日葵は金の油を身にあびてゆらりと高し日のちひささよ

　　　　　　　　　　　　　　　　　　　　　　　　（　　　）
5　鶏頭の十四五本もありぬべし　　　　　　　　　　（　　　）
6　のど赤き玄鳥ふたつ屋梁にゐて足乳根の母は死にたまふなり

　　　　　　　　　　　　　　　　　　　　　　　　（　　　）

　ア　正岡子規　　イ　与謝蕪村　　ウ　与謝野晶子
　エ　小林一茶　　オ　前田夕暮　　カ　斎藤茂吉

1 1—ケ、h　2—キ、c　3—ア、d　4—ク、f　5—ウ、e　6—エ、a　7—オ、b　8—イ、i　9—カ、g

2 1—ウ、古今和歌集　2—カ、万葉集　3—イ、新古今和歌集　4—エ、万葉集　5—オ、古今和歌集　6—ア、新古今和歌集
【要点解説】　1「ひさかたの〜」は紀友則、2「田子の浦ゆ〜」は山部赤人、3「村雨の〜」は寂蓮、4「春過ぎて〜」は持統天皇、5「秋来ぬと〜」は藤原敏行、6「きりぎりす〜」は藤原良経の作歌である。

3 1—ア　2—ウ　3—イ
【要点解説】　1「あをによし」は「奈良」にかかる枕詞。2「わかくさの」は「夫・妻」などにかかる枕詞。3「しらぬひ」は「筑紫」にかかる枕詞。

4 1—天の川、秋　2—野分、秋　3—蟬、夏　4—菜の花、春　5—五月雨、夏　6—枯野、冬　7—埋み火、冬　8—鶯、春
【要点解説】　2「野分」は台風のこと。5「五月雨」は陰暦5月に降る長雨で、梅雨のこと。「五月」の文字から春の季語と思い違えないように。6—「埋み火」は灰にうずめた炭火のこと。

5 1—都　2—ウ　3—ア
【要点解説】　3短歌の三行書きは、石川啄木が確立した独自の表現形式。

6 1—イ　2—ア　3—イ
【要点解説】　Aは島崎藤村の「若菜集」に収められた「初恋」の冒頭部分、Bは宮沢賢治の「春と修羅」に収められた「永訣の朝」の冒頭部分、Cは萩原朔太郎の「純情小曲集」に収められた「静物」である。

7 1—エ　2—ウ　3—イ　4—オ　5—ア　6—カ

1 　次の文中の（　　）に入るもっとも適切な語をア～コから選び、記号で答えなさい。

　　今が1（　　）の青春だというようなことを僕はまったく2（　　）した覚えがなくて過してしまった。いつの時が僕の青春であったか。どこにも3（　　）が見当らぬ。4（　　）せざる者の愚行が青春のしるしだと言うならば、僕は今も尚^{なお}青春、恐らく七十になっても青春ではないかと思い、こういう5（　　）というものは決して気持のいいものではない。気負って言えば、文学の6（　　）は永遠に青春であるべきものだ、と力みかえってみたくなるが、文学文学と7（　　）のように唸^{うな}ったところで我が身の愚かさが帳消しになるものでもない。　　　　（坂口安吾「青春論」）

　ア　自覚　　イ　内省　　ウ　念仏　　エ　老成　　オ　感動
　カ　自分　　キ　発展　　ク　精神　　ケ　堕落　　コ　区切り

2 　次のA～Eの文を正しい順序に並べるとき、もっとも適切なものを、ア～カから選び、記号で答えなさい。

A　「平家納経を見る　厳島神社の秘庫開かる」

B　そうした中で、このニュースは、なにか人の心をホッとさせる明るい文化的な香りをもっていた。

C　思えば、この新聞記事が、私の生涯を決定したといってよい。

D　日本中が茫然自失しており、特に私の住む広島地方は、あの原爆の打撃に、打ちのめされたままであった。

E　それは昭和二十年、まだ、夏の名残りのある敗戦直後のある日であった。　　　　　　　　　　　　　（小松茂美「平家納経の世界」）

　ア　A―C―B―E―D　　　　イ　A―C―E―D―B
　ウ　A―E―C―B―D　　　　エ　E―D―A―B―C
　オ　E―C―A―B―D　　　　カ　E―A―B―C―D

3 次の文で敬語の使い方が正しければ○をつけ、誤りがあればその部分に下線を引いて、（　　　）に訂正しなさい。

1　私のお母さんが出席すると申しております。　（　　　　　　　　）

2　妹が先生のお宅へうかがいます。　（　　　　　　　　）

3　御社の会議に弊社の部長が同席なさいます。　（　　　　　　　　）

4　先生はなんと申していますか。　（　　　　　　　　）

5　食事のあとに、お菓子をいただいてください。　（　　　　　　　　）

6　先生が到着したら会議を始めます。　（　　　　　　　　）

4　次の文中の（　　　）に入るもっとも適切な語をア～クから選び、記号で答えなさい（ただし同じ語を２度使ってはならない）。

　私はたいへんなおしゃべりである。1（　　　）庶民の過去についてはいくらしゃべっても、しゃべり足らない気がする。2（　　　）不明のままに過去のなかへ埋没しつつある庶民の歴史について見る目を柳田国男先生と渋沢敬三先生にひらいていただいてから、二十五年の年月が流れ、ひたすらに農山漁村をあるいて来、その見聞と調査とを世に報告しようとしてきたが、3（　　　）自己の力には限界があった。4（　　　）仲間づくりにも一生けんめいであるが、なんとしても思うにまかせぬものである。

（宮本常一「庶民の発見」）

ア　そこで　　イ　つまり　　　ウ　たとえば　　エ　すでに
オ　しかし　　カ　なぜなら　　キ　それでは　　ク　やはり

5　次の文の下線部の品詞をア～キから選び、記号で答えなさい。

1　私は<u>たまたま</u>花屋の前を通りかかった。　（　　　）

2　今日は暑い<u>けれども</u>湿度は低い。　（　　　）

3　顔を見る<u>なり</u>どなりつけた。　（　　　）

4　男もす<u>なる</u>日記といふものを、　（　　　）

5　雨など降るも<u>をかし</u>。　（　　　）

ア　動詞　　　イ　形容詞　　ウ　副詞　　　エ　接続詞
オ　助動詞　　カ　助詞　　　キ　感動詞

6 次の文章を読んで、あとの問いに答えなさい。

　『おくのほそ道』が特定の個人による特定の見聞記録としての紀行文ではなく、一つの創（つく）られた文学作品であることは、今日では常識になっており、わたし自身も授業の合間で何度となく強調してきたことであった。けれども、別表のように、六〇％近くの者が、その（　Ａ　）にやっぱり戸惑いを感じているというのは事実である。（　Ｂ　）には、記述の内容が“虚”なのか“実”なのかあいまいな点——いいかえれば、物語性と（　Ｃ　）とが、中途半端にaジョジュツされている点に親しめないのである。若者世代は、bテッテイして虚なら虚、実なら実であることを求めている。けっして“虚”の世界を嫌っているのではない。たとえば宮沢賢治の『銀河鉄道の夜』なら、すんなりと受け入れられるわけである。

　『おくのほそ道』を読んでも、旅のcリンジョウカンに欠けるので、作品の世界に容易に入り込めないという声も無視できない。『ほそ道』はいい意味でも悪い意味でも（　Ｄ　）な旅、つくり物の旅だからである。若者は紀行文にはリンジョウカンをdキタイする。作品の中にはたしかに現実にある地名や固有の名称がたくさん出てくるのだから、そのキタイは当然のことである。だが、それにしては、現場に即したリアルなeビョウシャが少なく、抽象的なジョジュツに終始しているのである。（堀切実「『おくのほそ道』をよむ」）

1　文中の下線部a〜eのカタカナを漢字で書きなさい。

　a（　　　　　　　）　　b（　　　　　　　）　　c（　　　　　　　）

　d（　　　　　　　）　　e（　　　　　　　）

2　文中のＡ〜Ｄに入る語句としてもっとも適切なものをア〜エから選び、記号で答えなさい。

　Ａ（　　　）　Ｂ（　　　）　Ｃ（　　　）　Ｄ（　　　）

　　ア　観念的　　イ　具体的　　ウ　事実性　　エ　虚構性

3　『おくのほそ道』の成立年代をア〜オから選び、記号で答えなさい。　（　　　）

　　ア　寛永年間　　イ　元禄年間　　ウ　寛政年間

　　エ　天保年間　　オ　文政年間

7 次の「徒然草」の一節を読んで、あとの問いに答えなさい。

　仁和寺にある法師、年よるまで、石清水を拝まざりければ、心うく覚えて、ある時思ひ立ちて、ただひとりＡかちより詣でけり。極楽寺・高良などを拝みて、Ｂかばかりと心得て帰りにけり。さて、かたへの人にあひて、「年比思ひつること、果し侍りぬ。聞きしにも過ぎて、尊くＣこそおはしけれ。そも、参りたる人ごとに山へのぼりしは、何事かありけん、ゆかしかりしかど、神へまゐるこそ本意なれと思ひて、Ｄ山までは見ず」とぞ言ひける。

　少しのことにも、Ｅ先達はあらまほしき事なり。

1　下線部Aの意味をア～エから選び、記号で答えなさい。（　　　　）
　ア　気ままなようすで　　イ　徒歩で
　ウ　寄り道をしながら　　エ　交飯（餅）の弁当を持って

2　下線部Bの意味をア～エから選び、記号で答えなさい。（　　　　）
　ア　これだけ詣でれば十分と心得顔で
　イ　これでもう思い残すことはないと思って
　ウ　これだけのことと思いこんで
　エ　こんなはずではなかったと考えながら

3　下線部Ｃの「こそ」を取り去ると、この文の文末はどのように変化するか。「おはしけれ」を改めて書きなさい。
　　　　　　　　　　　　　　　　　　　（　　　　　　　　　　　）

4　文語文法で、下線部Ｃの「こそ」のように文末の語の活用形を変化させる語を何というか、品詞名を書きなさい。
　　　　　　　　　　　　　　　　　　　（　　　　　　　　　　　）

5　下線部Ｄの「山」の上にあるものを、文章中の語句を用いて答えなさい。（　　　　　　　　　　　）

6　下線部Eの意味をア～エから選び、記号で答えなさい。（　　　　）
　ア　先だつもの、つまりお金は必要なものである。
　イ　先人の知恵というものはありがたいものである。
　ウ　その道の先導役はあってほしいものである。
　エ　先輩は大切にしなければならないものである。

1 　1―カ　2―ア　3―コ　4―エ　5―イ　6―ク　7―ウ

2 　イ

【要点解説】　整序問題は指示語に注目するとよい。Bの「そうした」は
Dの内容を指していることから、D―Bと並ぶことがわかる。Cの「こ
の」はAの内容を指しており、Eの「それは」はCの内容を指してい
ることから、A―C―Eと並ぶことがわかる。

3 　1―<u>お母さん</u>→母　2―○　3―<u>なさいます</u>→いたします　4―<u>申
して</u>→おっしゃって　5―<u>いただいて</u>→召し上がって　6―<u>したら</u>→さ
れたら（なさったら）

【要点解説】　4「先生」の動作に、謙譲表現である「申して」を使うのは
誤り。5日ごろ耳にすることのある誤りだが、「いただく」は丁寧表現
ではなく謙譲表現である。

4 　1―オ　2―エ　3―ク　4―ア

5 　1―ウ　2―カ　3―カ　4―オ　5―イ

【要点解説】　3・4「～するとすぐに」という意味の「なり」は助詞。動
詞の終止形に接続して、伝聞・推定を表す「なり」は助動詞。助詞は活
用がないが、助動詞は活用があるので、区別できる。

6 　1―a―叙述　b―徹底　c―臨場感　d―期待　e―描写　2―A
―エ　B―イ　C―ウ　D―ア　3―イ

【要点解説】　2Cは「虚」―「物語性」に対する「実」―「事実性」。D
は次にある「つくり物の旅」と同様の内容を表すようになる語を選べば
よい。

7 　1―イ　2―ウ　3―おはしけり　4―係助詞　5―石清水　6―ウ

【要点解説】　3・4係助詞の「は」「も」・「ぞ」「なむ（なん）」「や」
「か」・「こそ」を用いた文では、それを受ける活用語が、それぞれ終止
形・連体形・已然形をとる。これを係り結びという。

社会

●傾向と対策●

　世界経済のグローバル化が深まるなか、企業は、社会・世界への広い視野をもつ人材を求めています。試験では、その基礎となる社会科全般について幅広い知識が問われますが、基本的内容の出題が多く、さほど難しくはありません。最近の試験では、次の2分野が多く出題されています。

1　政治・経済・社会（日本の政治制度、日本国憲法、経済用語、経済のしくみ、国際関係、時事など）
2　日本史（歴史的事件、統治者と主要政策など）

　これら2分野を中心に、そして世界史、地理、文化・思想の各分野は、基本的内容をしっかりおさえておきましょう。

社会の受験対策

　各分野で確実に学習しておきたい内容は次のとおりです。

政治・経済・社会…民主政治の原理、日本の国会・内閣・裁判所、選挙制度、日本国憲法、資本主義経済・国民経済のしくみ、国際関係と国際機関、労働問題、社会保障制度、環境

日本史…歴史的事件と関連人物、統治者と主要政策、文化の特徴と代表的人物・業績・作品など。近世以降を重点的に

世界史…古代文明の概要、ルネサンス・産業革命・市民革命の推移と人物、第一次・第二次世界大戦、冷戦とその後

地理…日本の県庁所在地・産業・交通、世界各国の首都・主要産業と日本との関係、日本・世界の地形・気候

文化・思想…著名な思想家・学者と著作物・名言・業績、著名な芸術家と作品など

　中学・高校の教科書で、用語とその内容・関連人物を整理しておくのがもっとも有効です。時事用語は、新聞に目を通す習慣をつけ、最近の動きに注目しておくとよいでしょう。

社会のポイント

政治用語　これだけはおぼえておこう

三権分立　立法権（国会）、行政権（内閣）、司法権（裁判所）。

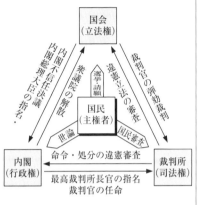

国会　国権の最高機関、国の唯一の立法機関。衆議院（任期4年、解散あり）、参議院（任期6年、解散なし）の二院制。権限は、法律の制定、条約締結の承認、憲法改正の発議、内閣総理大臣の指名、内閣不信任決議、弾劾裁判所の設置など。

内閣　国の行政機関、国会に対し連帯責任をもつ議院内閣制。権限は、法律の執行、予算の作成、条約の締結、天皇の国事行為への助言と承認、衆議院解散など。

裁判所　裁判官は、良心と憲法・法律のみに従い、独立してその職権を行う（司法の独立）。違憲立法審査権をもち、最高裁判所・高等裁判所・地方裁判所・家庭裁判所・簡易裁判所がある。わが国の裁判は三審制。

日本国憲法の三大原則　国民主権、基本的人権（自由権、平等権、参政権、社会権など）の尊重、平和主義。

選挙制度　普通選挙、平等選挙、秘密選挙が原則。衆議院は小選挙区制と全国を11選挙区とする比例代表制の並立制。参議院は原則都道府県単位（一部、合区あり）の選挙区制と全国を1選挙区とする比例代表制。

地方自治　憲法と地方自治法に基づく。地方議会には都道府県議会、市町村議会（任期4年）がある。執行機関として首長（都道府県知事、市町村長）、補助機関（副知事、副市町村長）がおかれている。住民は、自治体の議会議員、首長を直接選挙で選び、直接請求権（条例の制定・改廃、首長や議会議員のリコール、議会の解散、行政・会計の監査など）をもつ。

経済用語　これだけはおぼえておこう

経済主体　国民経済は家計（消費の単位）、企業（生産の単位）、政府（民間の市場機構を補う）の三経済主体から成り立つ。3つは生産、分配、消費という経済循環で深く結びついている。

国内総生産（GDP）　一国の経済規模を示す代表的指標。国民総所得（GNI＝一国で一定期間に生産された財貨・サービスの総額）－海外からの純所得。GDP－固定資本減耗（減価償却費）＝国内純生産（NDP）。GNI－固定資本減耗－純間接税＝国民所得（NI）。

経済成長　国民経済の規模が年々増大すること。物価、生産、雇用、国際収支などの重要な経済指標がバランスよく増大することを安定成長という。

インフレーション（インフレ）　商品の供給量に対して通貨量が急増し、貨幣価値が下がって、物価が騰貴する現象。

デフレーション（デフレ）　商品の供給量に対して通貨量が急減し、貨幣価値が上がって、物価が続落する現象。

スタグフレーション　景気停滞下の物価上昇。スタグネーション（景気停滞）とインフレーションの合成語。

資本主義経済の特徴　経済活動の自由、私有財産性、営利主義、商品の大量生産、労使という人間関係。

生産の三要素　土地、労働、資本。

日本銀行　わが国の中央銀行。通貨の発行と金融政策を行う。金利政策、公開市場操作（オープンマーケットオペレーション＝公債等の有価証券の売買により通貨量を調節）、預金準備率操作（市中金融機関に対し預金の一定比率を現金で預けさせる）を、日銀の三大金融政策という。

国際収支　経常収支、資本移転等収支、金融収支に大別。経常収支＝貿易・サービス収支＋第一次所得収支＋第二次所得収支、金融収支＝直接投資＋証券投資＋金融派生商品＋その他投資＋外貨準備。

為替相場　アメリカの金・ドルの信用に支えられた固定相場制から1973年に変動相場制へ移行。

経済連携協定（EPA）　2つ以上の国・地域の間で、貿易の自由化、投資、人の移動、知的財産の保護など経済関係強化を目的に締結される国際協定。

社会用語　これだけはおぼえておこう

●労働

労働三権（憲法第28条）　団結権（労働組合をつくる権利）・団体交渉権（労働者が使用者と労働条件を交渉する権利）・団体行動権（争議権。ストライキなどの団体行動をする権利）。

労働三法　労働基準法（国籍・信条等による差別の禁止、男女同一賃金、強制労働の禁止、労働時間・休日・時間外労働・有給休暇などの最低基準等）、労働組合法（団結権、不当労働行為の禁止等）、労働関係調整法（労働委員会による労使紛争の斡旋・調停・仲裁）。

日本の雇用制度　終身雇用制、年功賃金制を特徴としていたが、近年では、非正規雇用者の増加、中途採用・能力賃金の比率が高まるなど、多様化している。

●社会保障制度

社会保障　人々が健康で文化的な最低限度の生活を送ることができる生存権を、国や自治体の責任で保障すること。

わが国の制度　社会保険（医療保険、介護保険、年金保険、雇用保険等）、公的扶助（生活保護等）、社会福祉（子ども、高齢者、障害者などの福祉）、公衆衛生（保健所等による健康保持・向上のためのサービス）。

●環境・資源・エネルギー

公害　産業活動や家庭からの廃棄物などによる環境破壊（大気汚染、水質汚濁、騒音、振動、地盤沈下、悪臭、土壌汚染＝典型七公害）のためにおきる人の健康や生活環境への被害。

四大公害訴訟　水俣病、イタイイタイ病、四日市ぜんそく、新潟水俣病の被害住民が訴訟を起こし、いずれも原告勝訴。

地球環境問題　地球温暖化、オゾン層破壊、酸性雨、森林破壊と砂漠化の進行など。1995年からは地球温暖化対策を議論する国連気候変動枠組条約締約国会議（COP）を開催。1997年の京都議定書採択を経て、2016年には、2020年以降の対策の枠組を定めたパリ協定が発効。

現代世界の問題点　南北問題、地域・民族間紛争の多発、難民問題、資源・エネルギー問題、人口爆発と食糧問題など。国際的相互依存を特色とする現代世界では、一国の利害と国家間の利害、地球的利害の調整が必要。

日本史　おもな人物と用語

●古墳時代～奈良時代

厩戸王（聖徳太子）　憲法十七条・冠位十二階を制定、遣隋使派遣。

飛鳥文化　厩戸王の時代を中心とする 6 ～ 7 世紀の文化。大陸文化の影響が強く、法隆寺に遺品・遺構が多い。

大化の改新　中大兄皇子らが蘇我入鹿を倒し（乙巳の変）、改新の詔で公地公民制、班田収授法など律令国家の基本方針を打ち出す。

白鳳文化　大化の改新～平城京への遷都を背景とした文化。律令国家建設期の清新さと明朗性が特徴。薬師寺金堂薬師三尊像など。

大宝律令　701 年成立、翌年施行。律令制度が整う。

平城京　710 年藤原京から遷都。律令国家最盛期の都として繁栄。

天平文化　8 世紀の聖武朝を中心とする奈良時代の文化。唐の影響が強く、律令国家の最盛期を反映して豪壮雄大、仏教的色彩が濃い。

記紀と万葉集　天武朝に着手された国史編纂が、古事記（712 年成立）、日本書紀（720 年成立）として完成。759 年までの和歌約 4500 首を収録した万葉集が成立（770 年ごろ、編者は大伴家持が有力）。

●平安時代

桓武天皇　平安京への遷都（794 年）、勘解由使設置、健児の制、最澄（天台宗）・空海（真言宗）らの新仏教興隆等により律令制を再建。

弘仁・貞観文化　9 世紀の弘仁・貞観年間を中心とする平安初期の文化。唐の影響とともに、重厚・神秘的な密教色が強い。

摂関政治　藤原氏が天皇の外戚となり、摂政・関白として政治の実権を握る。11 世紀藤原道長・頼通の時代に全盛期。

国風文化　平安中期、摂関政治期の文化。浄土教信仰、遣唐使廃止による唐風の衰退などから生まれた日本風（国風）の貴族文化。古今和歌集（紀貫之ら撰）、源氏物語（紫式部）、枕草子（清少納言）、土佐日記（紀貫之）、蜻蛉日記（藤原道綱母）、更級日記（菅原孝標女）、平等院鳳凰堂等の浄土教芸術、寝殿造、大和絵など。

院政　摂関政治の衰えのなかで白河上皇が始める（1086 年）。

平氏政権　保元・平治の乱を経て、平清盛が樹立した最初の武家政権。公家政治の踏襲も多いが、地頭の設置、日宋貿易など積極策もある。

●鎌倉時代

鎌倉幕府　源頼朝が開いた武家政権。侍所・政所（公文所）・問注所
　　を主要機関とし、守護・地頭設置（1185年）で実質的に成立、頼
　　朝の征夷大将軍就任（1192年）で確立した。

執権政治　源氏将軍の断絶後、執権北条氏が政治の実権を握る。時政
　　に始まり、泰時の御成敗式目（貞永式目）制定（1232年）で確立。

蒙古襲来（元寇）　文永の役（1274年）・弘安の役（1281年）の２度。
　　暴風に助けられ元軍を撃退するが、鎌倉幕府衰退の契機となる。

鎌倉文化　12世紀末〜14世紀初めの文化。京都の公家文化に新興の
　　武士の気風、大陸の禅宗や宋・元の影響が加わる。方丈記（鴨長明）、
　　徒然草（兼好法師）、軍記物語、新古今和歌集（藤原定家ら撰）、運
　　慶・快慶らの写実的彫刻、大仏・禅宗様の建築、絵巻物・似絵など。

鎌倉仏教　法然（浄土宗・選択本願念仏集）、親鸞（浄土真宗・悪人
　　正機説）、一遍（時宗・踊念仏）、栄西（臨済宗・興禅護国論）、道
　　元（曹洞宗・正法眼蔵）、日蓮（法華宗・立正安国論）。

●南北朝時代〜室町時代

建武の新政　鎌倉幕府滅亡（1333年）後の後醍醐天皇による親政。
　　記録所・雑訴決断所を設置、古代的な天皇親政の復活をめざす。

室町幕府　足利尊氏が光明天皇を立てて北朝を開き、南北朝分立。建
　　武式目制定（1336年）、尊氏の征夷大将軍就任（1338年）で確立。

足利義満　室町幕府３代将軍。南北朝合一を実現（1392年）、室町幕
　　府の安定期を現出。明と勘合貿易を行い、鹿苑寺金閣を建てる。

応仁・文明の乱　細川勝元・山名持豊（宗全）の対立に将軍継嗣問題
　　などが絡んだ大乱（1467〜77年）。幕府が権威失墜し戦国時代へ。

室町文化　禅宗の影響、公家文化・武家文化・民衆文化の交流や融合
　　など幅広い基盤をもつ文化が誕生。北山文化（金閣・五山文学・観
　　阿弥・世阿弥による能楽の完成など）、東山文化（銀閣・雪舟の水
　　墨画・侘び茶など）、狂言・連歌・御伽草子等の庶民文化の興隆。

●安土桃山時代

織豊政権　織田信長が足利義昭を追放して室町幕府を倒し（1573年）、
　　天下統一への道を開く。本能寺の変で明智光秀に敗死後、豊臣秀吉

が天下統一を実現、検地・刀狩を行い封建制確立への道を開く。

桃山文化　信長・秀吉ら新興武家と豪商の財力を基盤とする現実的・人間的な文化。豪壮な城郭建築・障壁画、千利休の茶道完成など。

●江戸時代

江戸幕府　徳川家康が関ヶ原の戦い（1600年）を経て、征夷大将軍に就任（1603年）して創設。3代将軍家光時代までに武家諸法度・参勤交代等による大名統制、鎖国政策、職制、身分制度などが確立。

寛永文化　寛永時代を中心とする江戸初期の文化。大名と公家・上層町衆がおもな担い手。権現造（日光東照宮）・数寄屋造（桂離宮）、狩野探幽・俵屋宗達の絵画、本阿弥光悦の工芸、朱子学の興隆など。

文治政治　儒教的徳治主義に基づき、大名の改易を減らし幕府の組織・制度の整備等で政治の安定を図る。4代家綱〜7代家継の治世。中心人物は保科正之・松平信綱・5代将軍綱吉・新井白石ら。

元禄文化　元禄時代を中心とする江戸前期の文化。粋を尊ぶ上方豪商を中心とする人間的で華麗な町人文化。尾形光琳の絵画、菱川師宣の浮世絵、野々村仁清・酒井田柿右衛門の陶芸、井原西鶴の浮世草子、松尾芭蕉の蕉風俳諧、近松門左衛門の人形浄瑠璃・歌舞伎など。儒学諸派、天文暦学、本草学、医学、農学、和算など諸学の発達。

享保の改革　8代将軍吉宗による幕政改革。相対済し令・上げ米・足高の制・定免法・新田開発など。

寛政の改革　老中松平定信による幕政改革。囲米・七分金積立・棄捐令・寛政異学の禁など。

化政文化　文化・文政時代の江戸を中心とする江戸後期の町人文化。洒落本、十返舎一九・式亭三馬の滑稽本・人情本、曲亭馬琴の読本、与謝蕪村・小林一茶の俳句、川柳・狂歌、歌舞伎、喜多川歌麿・東洲斎写楽・葛飾北斎・歌川広重の浮世絵の隆盛など。国学・洋学が発達し、藩学・郷学・寺子屋が発展。

天保の改革　老中水野忠邦による幕政改革。人返しの法・株仲間解散・上知（地）令など。

安政の五カ国条約　日米修好通商条約をはじめ蘭・露・英・仏と条約を締結（1858年）。領事裁判権を認め関税自主権がない不平等条約。

●明治時代以降

明治維新　薩長などの革新的下級武士が主導。大政奉還（1867年）、戊辰戦争を経て明治政府が確立。版籍奉還（1869年）、廃藩置県（1871年）、徴兵令（1873年）、地租改正（1873年）などを実施。

文明開化　明治初年の旧習打破・西洋文明移植の政策・風潮。神仏分離令、学制、散髪令、明六社、太陽暦採用、ガス灯、人力車など。

自由民権運動　民撰議院設立の建白書（1874年）を機に広がった民主主義的政治運動。藩閥打破・国会開設などを要求。内閣制度の創設(1885年)、大日本帝国憲法制定(1889年)、国会開設（1890年）へ。

条約改正　安政の五カ国条約を改正しようとする明治政府最大の外交課題。領事裁判権撤廃（1894年）、関税自主権回復（1911年）。

日清戦争　朝鮮の支配権をめぐる日清両国の戦争（1894〜95年）。東学党の乱を契機に日清の対立が激化して開戦、下関条約で講和。

日露戦争　満州をめぐる日露両国の戦争（1904〜05年）。日本軍の旅順攻撃に始まり、ポーツマス条約で講和。

明治中〜後期の文化　国家主義・国粋主義などの台頭、教育の普及、近代科学・ジャーナリズムの勃興。文学では坪内逍遙らの写実主義、二葉亭四迷の言文一致体、樋口一葉・森鷗外・与謝野晶子らのロマン主義、国木田独歩・島崎藤村・田山花袋らの自然主義、夏目漱石、石川啄木など。新派劇・自由劇場等の演劇、日本画の狩野芳崖、洋画の高橋由一・青木繁、彫刻の高村光雲など。

第一次世界大戦　帝国主義列強の世界政策対立による世界戦争（1914〜18年）。日本は日英同盟を理由に参戦。ヴェルサイユ条約で終結。

大正〜昭和初期の文化　大正デモクラシー、文学では武者小路実篤らの白樺派、谷崎潤一郎らの耽美派、芥川龍之介、小林多喜二らのプロレタリア文学など。日本画の横山大観、洋画の梅原龍三郎など。

第二次世界大戦　世界恐慌、ファシズムの台頭のなか、ドイツのポーランド侵攻に対するイギリス・フランスの対独宣戦により勃発（1939年）、日本の対米英宣戦により世界大戦に拡大（1941年）。1943年イタリア、1945年ドイツ、次いで日本が降伏して終結。日本はポツダム宣言に基づき連合国の占領を受けた。

世界史　これだけはおぼえておこう

古代文明　エジプト文明（3000 B.C. ごろ〜、ナイル川流域）、メソポタミア文明（3000 B.C. ごろ〜、チグリス・ユーフラテス川流域）、インダス文明（2300 B.C. ごろ〜、インダス川流域）、中国文明（4000 B.C. ごろ〜、黄河・長江流域、彩陶文化→黒陶文化）

古代ギリシア　エーゲ文明（3000 B.C. ごろ〜）→都市国家＝ポリスの発展（750 B.C. ごろ〜、アテネ・スパルタ）

ローマ帝国　27 B.C. アウグストゥスが帝政開始、4 B.C. ごろキリスト誕生→〜3世紀ごろキリスト教普及→395年ローマ帝国分裂

中国の王朝　殷→周→春秋・戦国時代→秦→前漢→新→後漢→三国時代→晋→南北朝→隋→唐→五代→北宋→南宋→元→明→清

イスラム世界　7世紀初頭ムハンマドがイスラム教を創始→アッバース朝の8世紀中期よりイスラム帝国の最盛期

中世ヨーロッパ　フランク王国の3分（9世紀中期、イタリア・ドイツ・フランスの基礎）→封建社会の確立、ローマカトリック教会の発展→十字軍の遠征（商業・交易・都市の発達）

近代ヨーロッパ　ルネサンス（14世紀〜）→宗教改革（16世紀〜）→絶対主義国家の成立（重商主義、イギリス・フランス・プロシアなど）→市民革命（イギリス：1642年ピューリタン革命、1688年名誉革命、アメリカ独立革命：1776年独立宣言、フランス：1789年フランス革命）→産業革命（18世紀中期〜）→資本主義体制の確立

第一次世界大戦　帝国主義による世界分割（19世紀末〜）→三国同盟（ドイツ・オーストリア＝ハンガリー・イタリア）と三国協商（イギリス・フランス・ロシア）→第一次世界大戦（1914〜18年）

ファシズムの台頭と第二次世界大戦　世界恐慌（1929年）→満州事変（1931）→ナチスが政権獲得（1933）→ドイツのポーランド侵攻、英仏が対独宣戦し第二次世界大戦開始（1939）→日米開戦（1941）→イタリア（1943）、ドイツ・日本（1945）無条件降伏、第二次世界大戦終結

大戦後の世界　国際連合成立（1945年）→米国を中心とする資本主義陣営とソ連を中心とする社会主義陣営の冷戦→ソ連解体（1991年）→第三世界の多元化と地域紛争

地理用語　これだけはおぼえておこう

地殻変動がつくる地形　海溝、山脈、海嶺、火山、地溝帯

氷河がつくる地形　カール、U字谷、モレーン、フィヨルド

波がつくる地形　海食台、海岸平野、海岸段丘、海食崖、砂州

河川がつくる地形　V字谷、リアス海岸、沖積平野、扇状地、氾濫原、三角州、河岸段丘、谷底平野

地下水がつくる地形　カルスト

世界の気候区分（ケッペン）　熱帯雨林気候、サバナ気候、地中海性気候、温暖冬季少雨気候、西岸海洋性気候、温暖湿潤気候、亜寒帯冬季少雨気候、亜寒帯湿潤気候、砂漠気候、ステップ気候、ツンドラ気候、氷雪気候

世界の農業地域　**自給的農業**（遊牧、焼畑農業、アジア的稲作・畑作）、**商業的農業**（混合農業、酪農、地中海式農業）、**企業的農業**（企業的穀物農業、企業的牧畜、プランテーション農業）

世界のエネルギー・鉱物資源　**原油**（産出量上位3国：アメリカ・サウジアラビア・ロシア）、**石炭**（産出量上位3国：中国・インド・インドネシア）、**鉄鉱石**（産出量上位3国：オースト

ラリア・ブラジル・中国）

世界の工業　**アメリカ**（五大湖沿岸の造船・鉄鋼・食品・自動車、ダラス・アトランタのエレクトロニクス・航空宇宙産業、ロサンゼルスの航空機産業、シリコンバレーのIT・先端技術産業）、**ヨーロッパ**（産業革命以降の重工業三角地帯→ユーロポートなどライン川中・下流域へシフト）、**ロシア**（ソ連時代の地域生産複合体→ソ連解体後工業生産が低下→鉄鋼・機械・化学などが中心）、**日本**（高度成長期の重化学工業→70年代以降の自動車・エレクトロニクス産業→80年代以降の多国籍企業化）、**中国**（鞍山・宝山の鉄鋼、長春・上海の自動車、深圳のハイテク産業）、**アジア**（韓国・台湾・シンガポールの軽工業・金属・機械・石油化学製品、インド・シンガポールのハイテク産業）

日本の地理的特徴　多数の火山、フォッサマグナ（大地溝帯）・中央構造線、国土の3/5が山地、勾配の急な河川、モンスーンの影響を受ける中緯度の大陸の東岸気候で四季の変化が明瞭。

練習問題　現代の政治・経済・社会 解答・要点解説 p.76〜77

1 次にあげる日本国憲法の条文について、（　　）にあてはまる語句を書きなさい。

1　ア（　　）は、日本国の象徴であり日本国民統合の象徴であつて、この地位は、イ（　　）の存する日本国民の総意に基く。

2　日本国民は、正義と秩序を基調とする国際平和を誠実に希求し、国権の発動たるア（　　）と、武力による威嚇又は武力の行使は、イ（　　）を解決する手段としては、永久にこれを放棄する。

3　国民は、すべてのア（　　）の享有を妨げられない。この憲法が国民に保障するア（　　）は、侵すことのできないイ（　　）の権利として、現在及び将来の国民に与へられる。

2 次の文中の（　　）にあてはまるもっとも適切な語句をア〜サから選び、記号で答えなさい。

わが国の中央銀行である日本銀行は、唯一の1（　　）であり、政府資金の出納を行う「政府の銀行」、市中銀行との資金取引を行う「銀行の銀行」としての役割をもっている。日本銀行が市中銀行に対して貸し出す資金の利子率を2（　　）といい、これを引き上げると通貨の流通量は3（　　）し、引き下げると4（　　）する。通貨の流通量の調節は、日本銀行が公開の市場で5（　　）の売買をする公開市場操作、市中銀行に対し預金の一定比率を現金で預けさせる6（　　）操作などによっても行われている。通貨の流通量が増大しすぎると、通貨の7（　　）が下落してインフレーションが起きる。1920年代半ば以降、各国の政府は兌換銀行券と金との交換を次々と停止し、金の準備高にかかわらず不換紙幣を発行できる8（　　）制度に移行した。

ア　有価証券　　イ　増大　　ウ　発券銀行　　エ　預金準備率
オ　金融市場　　カ　減少　　キ　金本位　　ク　兌換銀行券
ケ　管理通貨　　コ　価値　　サ　基準割引率および基準貸付利率

72

3 日本国憲法に定められている国民の三大義務とは何か。

（　　　　　　　　）（　　　　　　　　　　）（　　　　　　　　　　　）

4 次の記述は、それぞれア国会、イ内閣、ウ最高裁判所、エ天皇のいずれに属する権限か、記号で答えなさい。

1（　　　）裁判官の弾劾裁判所を設置する。

2（　　　）特赦・大赦・減刑・刑の執行の免除・復権を決定する。

3（　　　）憲法改正を発議する。

4（　　　）憲法改正、法律などを公布する。

5（　　　）法律が憲法に適合しているか否かを審査する。

6（　　　）内閣総理大臣を指名する。

7（　　　）政令を制定する。

8（　　　）天皇の国事行為に対して、助言と承認を行う。

9（　　　）条約を締結する。

10（　　　）内閣総理大臣を任命する。

11（　　　）内閣の不信任を決議する。

5 次の記述のうち、正しいものには○、誤っているものには×をつけなさい。

1（　　）国民総所得（GNI）とは、従来の国民総生産（GNP）に代わって導入されたもので、現在、国民所得勘定の代表値として利用されている。

2（　　）国内純生産（NDP）とは、GDPから減価償却費と間接税を引き、補助金を加えたものをいう。

3（　　）景気が停滞しているにもかかわらず物価が上昇することをデフレーションという。

4（　　）需要量が供給量を上回ると、市場価格は上昇する。

5（　　）株式会社が負債を抱えて倒産した場合でも、株主の責任は出資額の範囲に限定される有限責任制である。

6（　　）管理価格は、市場機構による資源の効率的分配の機能を促進し、消費者の利益を守る効果がある。

6 次の文中の（　）にあてはまるもっとも適切な語句をア～サから選び、記号で答えなさい。

　労働三法とは労働基準法、労働組合法、1（　）をいう。労働基準法は、憲法第25条の「健康で文化的な最低限度の生活を営む権利」、すなわち2（　）を受けて、労働者の労働条件などについて規定している。具体的には、3（　）・信条・社会的身分による差別の禁止、男女の4（　）、強制労働の禁止、中間搾取の排除、労働時間・休憩・休日・時間外労働・5（　）などの最低基準を定めている。

　　ア　年齢　　イ　社会権　　ウ　職業安定法　　エ　有給休暇
　　オ　国籍　　カ　生存権　　キ　同一賃金　　　ク　雇用保険法
　　ケ　収入　　コ　労働権　　サ　労働関係調整法

7 次の記述のうち、正しいものには○、誤っているものには×をつけなさい。

1（　）衆議院議員選挙は、1選挙区から1名の議員を選ぶ小選挙区制と、全国1選挙区の比例代表制の並立制である。

2（　）衆議院議員、地方議会議員の被選挙権は25歳以上、参議院議員・都道府県知事の被選挙権は30歳以上である。

3（　）衆議院が可決し参議院が否決した法案は、衆議院が出席議員の3分の2以上の多数で再び可決すれば法律となる。

4（　）国民経済において家計は、労働力を労働市場に供給し、消費市場生活手段を購入する、生産と消費の単位である。

5（　）社会保障制度のうち、医療保険・介護保険・年金保険などは社会保険、生活保護は公的扶助に含まれる。

6（　）アメリカを中心に発展した、異業種の複数企業の結合によって形成される巨大多角企業を多国籍企業という。

7（　）国際連合安全保障理事会の常任理事国は、アメリカ・イギリス・フランス・ロシア・中国の5か国である。

8（　）国際収支のうち、経常収支は投資収支、第一次所得収支、第二次所得収支の合算である。

8 次にあげる国際機関の略称をア〜シから選び、記号で答えなさい。

1　世界貿易機関　　2　国連児童基金　　3　国際原子力機関
4　世界保健機関　　5　国際通貨基金　　6　石油輸出国機構
7　国際労働機関　　8　東南アジア諸国連合
9　国連環境計画　　10　アジア太平洋経済協力

ア　WHO　　イ　IMF　　ウ　OPEC　　エ　UNESCO
オ　WTO　　カ　IOC　　キ　UNEP　　ク　ASEAN
ケ　IAEA　　コ　ILO　　サ　APEC　　シ　UNICEF

9 次の文の（　）にあてはまる語句を書きなさい。

　国家の主権は1（　　　）にあるという考え方は、民主主義の根本原理である。モンテスキューが唱えた2（　　　　）の考え方は、権力の乱用を防ぐために、国家の権力を立法権・執行権（行政権）・3（　　　）に分け、相互の抑制と均衡を図るものである。民主政治は4（　　　）によって運営されるが、その過程では単なる多数の支配ではなく、十分な討議や説得、また5（　　　）の尊重が重要である。

10 次の各問に答えなさい。

1　貴重な自然環境や歴史的環境を広く寄付を募って買い取り、保全・管理していく運動を何というか。　（　　　　　　　）

2　かつての植民地支配の影響から、一国の経済がある特定の産品の生産・輸出に依存する、発展途上国に多く見られる経済体制を何というか。　（　　　　　　　）

3　自社製品の欠陥から生じた被害に対して、メーカーが消費者に対して直接責任を負うことを定めた、1995年施行の法律を何というか。　（　　　　　　　）

4　ソビエト連邦解体後、旧ソ連邦諸国によって創設されたCISと略称される国家集団を何というか。　（　　　　　　　）

5　絶滅のおそれのある野生動植物の保護を目的に、国際取り引きを規制している条約を何というか。　（　　　　　　　）

1 1―ア：天皇　イ：主権　2―ア：戦争　イ：国際紛争　3―ア：基本的人権　イ：永久

【要点解説】　1の国民主権（第1条）、2の平和主義（第9条）、3の基本的人権の尊重（第11条）は、日本国憲法の三大原則とされる。

2 1―ウ　2―サ　3―カ　4―イ　5―ア　6―エ　7―コ　8―ケ

【要点解説】　2「基準割引率および基準貸付利率」は、従来「公定歩合」とよばれていたもの。

3 教育を受けさせる義務、勤労の義務、納税の義務（順不同）

【要点解説】　国会議員や裁判官などには、ほかに憲法尊重擁護の義務（第99条）がある。

4 1―ア　2―イ　3―ア　4―エ　5―ウ　6―ア　7―イ　8―イ　9―イ　10―エ　11―ア

【要点解説】　3・4憲法の改正には、衆参各院の総議員の3分の2以上の賛成で国会が発議し、国民投票で過半数の賛成を得ることが必要である。憲法改正・法律・政令・条約の公布は天皇の国事行為である。
　6・10内閣総理大臣は国会が指名し、天皇が任命する。

5 1―○　2―×　3―×　4―○　5―○　6―×

【要点解説】　2国内純生産（NDP）とは、GDPから減価償却費を引いたものをいう。　3景気停滞下の物価上昇はスタグフレーションという。　6管理価格は独占価格ともいわれ、価格協定（カルテル）などにより需要が減少しても商品価格が高く維持された状態になり、市場機構による資源の効率的分配の機能や、消費者・他企業の利益を損なう。

6 1―サ　2―カ　3―オ　4―キ　5―エ

【要点解説】　労働組合法は、団結権、不当労働行為の禁止等について定め、1の労働関係調整法は、労働委員会による労使紛争の斡旋・調停・仲裁について定めている。

7 1―× 2―○ 3―○ 4―× 5―○ 6―× 7―○ 8―×

【要点解説】 1衆議院議員選挙は、小選挙区制と全国11選挙区の比例代表制の並立制。 4国民経済における生産の単位は企業である。 6異業種の複数企業の結合によって形成された巨大多角企業はコングロマリットといい、1960年代以降アメリカを中心に発展した形態である。 8経常収支は貿易・サービス収支、第一次所得収支、第二次所得収支の合算。

8 1―オ 2―シ 3―ケ 4―ア 5―イ 6―ウ 7―コ 8―ク 9―キ 10―サ

【要点解説】 国際機関や国際条約その他の略称を問う問題は、しばしば出題される。略称自体が有名なもの、新聞等でよく取り上げられるものを中心に、日本語名を正確におぼえておこう。エのUNESCOは国連教育科学文化機関、カのIOCは国際オリンピック委員会である。

9 1―国民 2―三権分立 3―司法権 4―多数決原理 5―少数意見

10 1―ナショナルトラスト運動 2―モノカルチャー経済 3―製造物責任法（PL法） 4―独立国家共同体 5―ワシントン条約

【要点解説】 2モノカルチャー経済の典型例としてブラジルのコーヒー、チリの硝石などがある。モノカルチャーからの脱却をめざす工業化の努力は、過大な投資となってインフレを生み、製品の販路開拓の困難さが貿易収支の悪化を招き、累積債務問題を生み出す要因となった。

ここをチェック

● おぼえておこう―さまざまな略語（国際）

CTBT（包括的核実験禁止条約）、EU（欧州連合）、FAO（国連食糧農業機関）、FRB（アメリカ連邦準備制度理事会）、EPA（経済連携協定）、FTA（自由貿易協定）、RCEP（地域的な包括的経済連携）、IBRD（国際復興開発銀行）、MERCOSUR（南米南部共同市場）、NATO（北大西洋条約機構）、ODA（政府開発援助）、OECD（経済協力開発機構）、PKO（国連平和維持活動）、START（戦略兵器削減条約）、UNCTAD（国連貿易開発会議）、UNHCR（国連難民高等弁務官事務所）、WFP（国連世界食糧計画）

1 次の人物と関係の深い事項をア～ソから選び、記号で答えなさい。

1　厩戸王（　　）　　　2　天武天皇（　　）　　3　聖武天皇（　　）

4　藤原頼通（　　）　　5　北条政子（　　）　　6　足利義政（　　）

7　豊臣秀吉（　　）　　8　徳川吉宗（　　）　　9　井伊直弼（　　）

10　榎本武揚（　　）　　11　板垣退助（　　）　　12　津田梅子（　　）

　ア　刀狩　　　　　　イ　承久の乱　　　ウ　岩倉使節団

　エ　遣唐使　　　　　オ　戊辰戦争　　　カ　大仏造立の詔

　キ　金閣　　　　　　ク　壬申の乱　　　ケ　民撰議院設立建白書

　コ　銀閣　　　　　　サ　安政の大獄　　シ　憲法十七条

　ス　貞永式目　　　　セ　享保の改革　　ソ　平等院鳳凰堂

2 次の事項にもっとも関係の深い人物をA群から、時代をB群から選び、記号で答えなさい。

1　平民宰相　（　・　）　　　2　承平・天慶の乱（　・　）

3　西南戦争　（　・　）　　　4　大化の改新　（　・　）

5　養老律令　（　・　）　　　6　正徳の政治　（　・　）

7　勘合貿易　（　・　）　　　8　金槐和歌集　（　・　）

　【A群】

　ア　源実朝　イ　新井白石　ウ　原敬　　　エ　中大兄皇子

　オ　平将門　カ　足利義満　キ　西郷隆盛　ク　藤原不比等

　【B群】

　a　古墳時代　b　奈良時代　c　平安時代　d　鎌倉時代

　e　室町時代　f　安土桃山時代　g　江戸時代　h　明治時代

　i　大正時代　j　昭和時代

3 次の遺跡は、ア旧石器時代、イ縄文文化、ウ弥生文化のいずれに属する遺跡か、記号で答えなさい。

1（　　）大森貝塚　　2（　　）岩宿遺跡　　3（　　）登呂遺跡

4 次の文で説明されている歴史上の人物はだれか。

1　長州出身の政治家。大日本帝国憲法の起草にあたり、華族令・内閣制度・枢密院を制定。初代内閣総理大臣。　（　　　　　）

2　堺の豪商出身で、侘び茶を完成した茶道の大成者。織田信長・豊臣秀吉に仕え、妙喜庵待庵をつくった。　（　　　　　）

3　後醍醐天皇・後村上天皇に仕えた南朝の重臣。「神皇正統紀」「職原抄」を著した。　（　　　　　）

4　室町幕府の管領、応仁・文明の乱の東軍の将。将軍足利義政を奉じ、足利義視・畠山政長・斯波義敏を後援して山名持豊（宗全）の軍（西軍）と戦った。　（　　　　　）

5　遣唐使に従って入唐し密教を学ぶ。帰国後、高野山に金剛峰寺を開き、京都に教王護国寺を与えられて、両寺で真言宗を布教。漢詩文・書道にすぐれた。　（　　　　　）

6　1878年東京大学に招かれ、哲学・政治学などを講義したアメリカ人。日本美術を高く評価し、岡倉天心とともに東京美術学校創設に力を尽くした。　（　　　　　）

5　次の事項にもっとも関連が深い事項を、ア〜エからそれぞれ選び、記号で答えなさい。

1　島原・天草一揆（　　　　　）
　ア　キリシタン　　イ　一向宗　　ウ　朱印船　　エ　徳川家康

2　関税自主権の回復（　　　　　）
　ア　井上毅　　イ　松方正義　　ウ　小村寿太郎　　エ　井上馨

3　下関条約（　　　　　）
　ア　日清戦争　　イ　日露戦争　　ウ　第一次世界大戦
　エ　第二次世界大戦

4　古今和歌集（　　　　　）
　ア　藤原定家　　イ　紀貫之　　ウ　大伴家持　　エ　山上憶良

5　天平文化（　　　　　）
　ア　薬師寺金堂薬師三尊像　　イ　法隆寺金堂釈迦三尊像
　ウ　神護寺両界曼荼羅　　エ　唐招提寺金堂

6 次の仏教各宗派にもっとも関係の深い人物を A 群から、事項を B 群から選び、記号で答えなさい。

1　天台宗　（　・　）　　　2　浄土宗　（　・　）
3　法華宗　（　・　）　　　4　浄土真宗　（　　・　）
5　臨済宗　（　・　）　　　6　曹洞宗　（　・　）
7　時宗　（　・　）　　　8　黄檗宗　（　・　）

【A 群】
ア　栄西　　イ　道元　　ウ　一遍　　エ　日蓮　　オ　隠元
カ　空海　　キ　法然　　ク　空也　　ケ　親鸞　　コ　最澄

【B 群】
a　専修念仏　　b　興禅護国論　　c　市聖　　d　陰陽道
e　踊念仏　　f　悪人正機説　　g　萬福寺　　h　法成寺
i　正法眼蔵　　j　立正安国論　　k　南禅寺　　l　延暦寺

7 次の文の（　）にあてはまる適切な語句を書き、それぞれの文が説明している人物をア～オから選んで、〔　〕に記号で書きなさい。

1　大塩の乱の後、幕府は倹約令・人返しの法を発し、株仲間の解散を命じるなど（　　　）の改革を行って、幕藩体制の強化をめざした。　　　　　　　　　　　　　　　　　　　　　〔　　〕

2　（　　　）を討った桶狭間の戦い、長篠合戦、比叡山焼き討ち、石山本願寺攻めなどを通じて、天下統一への道を開いた。
　　　　　　　　　　　　　　　　　　　　　　　　　　　〔　　〕

3　平城京から長岡京を経た（　　　）への遷都は、大寺院などの旧勢力が強い奈良から水利交通の便のよい山城国に都を移して、律令政治の再建をめざすものであった。　　　　　〔　　〕

4　承久の乱後、連署・評定衆の設置、御成敗式目の制定などを通じて（　　　）政治が発展した。　　　　　　　　　〔　　〕

5　（　　　）派の理論的指導者で、「その妹」などを著し、理想主義的人道主義実践の場として新しき村を建設した。　〔　　〕

ア　桓武天皇　　イ　織田信長　　ウ　武者小路実篤
エ　北条泰時　　オ　水野忠邦

8 次の事項を年代順に並べかえ、記号で書きなさい。

1 （　　→　　→　　→　　→　　→　　）
　ア　荘園整理令　　イ　太閤検地　　ウ　墾田永年私財法
　エ　班田収授法　　オ　守護領国制　　カ　御恩・奉公

2 （　　→　　→　　→　　→　　→　　）
　ア　文禄の役　　イ　弘安の役　　ウ　下関外国船砲撃事件
　エ　文永の役　　オ　慶長の役　　カ　白村江の戦い

3 （　　→　　→　　→　　→　　→　　）
　ア　白拍子　　イ　二条河原落書　　ウ　尾張国郡司百姓等解文
　エ　土一揆　　オ　蒙古襲来絵詞　　カ　一向一揆

4 （　　→　　→　　→　　→　　→　　）
　ア　おくのほそ道　　イ　太平記　　ウ　南総里見八犬伝
　エ　風姿花伝　　　　オ　古事記伝　　カ　天草版平家物語

5 （　　→　　→　　→　　→　　→　　）
　ア　版籍奉還　　イ　西南戦争　　ウ　大日本帝国憲法発布
　エ　廃藩置県　　オ　日清戦争　　カ　内閣制度発足

9 次の各組で、同時代の事項でないものを1つだけ選び、記号で
答えなさい。

1 （　　）ア　加賀の一向一揆　　イ　惣百姓一揆
　　　　　ウ　山城の国一揆　　　エ　正長の土一揆

2 （　　）ア　武家諸法度　　　イ　禁中並公家諸法度
　　　　　ウ　楽市令　　　　　エ　一国一城令

3 （　　）ア　国際連盟成立　　イ　ヴェルサイユ条約
　　　　　ウ　ポーツマス条約　エ　ワシントン海軍軍縮条約

4 （　　）ア　歌川広重　　　イ　近松門左衛門
　　　　　ウ　菱川師宣　　　エ　井原西鶴

5 （　　）ア　慶長遣欧使節派遣　　イ　キリスト教禁教令
　　　　　ウ　天正遣欧使節派遣　　エ　桂離宮落成

6 （　　）ア　真珠湾攻撃　　　イ　日独伊三国軍事同盟調印
　　　　　ウ　大政翼賛会設立　エ　シベリア出兵

1 1—シ　2—ク　3—カ　4—ソ　5—イ　6—コ　7—ア　8—セ　9—サ　10—オ　11—ケ　12—ウ

2 1—ウ・i　2—オ・c　3—キ・h　4—エ・a　5—ク・b　6—イ・g　7—カ・e　8—ア・d

【要点解説】　1 原敬は、1918（大正7）年、立憲政友会総裁として政党内閣を組織して、初の非華族出身の首相となり、平民宰相とよばれた。　6 新井白石（しょうらいはくせき）は、生類憐れみの令廃止、海舶互市新例による貿易制限、良貨の発行などを行った。儒学者としての信念に基づく白石の理想主義的な政治は、正徳の治とよばれる。

3 1—イ　2—ア　3—ウ

【要点解説】　1 大森貝塚は、1877年にアメリカ人モースによってわが国初の発掘調査が行われた日本考古学発祥の地で、縄文後期の貝塚である。　2 岩宿遺跡は、1949年に相沢忠洋（あいざわただひろ）によって洪積層中の石器が確認され、旧石器時代の文化解明の端緒となった遺跡。　3 登呂遺跡は、農耕集落と水田・水路などからなる弥生後期の遺跡で、木製農具も多数発見され農耕生活の解明に寄与した。

4 1—伊藤博文　2—千利休（宗易）　3—北畠親房　4—細川勝元　5—空海（弘法大師）　6—フェノロサ

【要点解説】　4 応仁・文明の乱は、細川勝元と山名持豊（宗全）（そうぜん）の対立に将軍継嗣問題と畠山（しば）・斯波家の家督争いがからんで起きた11年におよぶ大乱。公家勢力と幕府の権威の失墜を招いた。

5 1—ア　2—ウ　3—ア　4—イ　5—エ

【要点解説】　2 不平等条約であった安政の五カ国条約改正は明治政府最大の外交課題。領事裁判権撤廃は1894年に陸奥宗光（むつむねみつ）外相のもとで、関税自主権回復は1911年に小村寿太郎外相のもとで達成された。　5 法隆寺金堂釈迦三尊像（しゃか）は飛鳥文化、薬師寺金堂薬師三尊像は白鳳文化、神護寺両界曼陀羅（まんだら）は弘仁・貞観文化を代表する美術作品である。

6 1―コ・l　2―キ・a　3―エ・j　4―ケ・f　5―ア・b　6―イ・i　7―ウ・e　8―オ・g

【要点解説】　密教の天台宗と真言宗、鎌倉新仏教についてはしばしば出題されるので、開祖とその著書、本山などをまとめて整理しておこう。

7 1―天保、オ　2―今川義元、イ　3―平安京、ア　4―執権、エ　5―白樺、ウ

8 1―エ→ウ→ア→カ→オ→イ　2―カ→エ→イ→ア→オ→ウ
3―ウ→ア→オ→イ→エ→カ　4―イ→エ→カ→ア→オ→ウ
5―ア→エ→イ→カ→ウ→オ

【要点解説】　2蒙古襲来（元寇）は文永の役（1274年）、弘安の役（1281年）の順、朝鮮出兵は文禄の役（1592年）、慶長の役（1597年）の順。

9 1―イ　2―ウ　3―ウ　4―ア　5―ウ　6―エ

【要点解説】　1惣百姓一揆は江戸中期に頻発、他は室町時代の一揆である。　2楽市令は織豊期の政策、他は1615年に江戸幕府が制定。　3ポーツマス条約は日露戦争後の講和条約、他は第一次世界大戦後の事項。　4歌川広重は化政文化期の浮世絵師、他は元禄文化期。　5天正遣欧使節派遣は安土桃山時代の1582年、他は江戸時代初期。　6シベリア出兵は大正時代の1918～22年、他は昭和前期の第二次世界大戦中の事項。

ここをチェック

●おぼえておこう―さまざまな略語（国内）
　安保（日米安全保障条約）、海自（海上自衛隊）、経団連（日本経済団体連合会）、公選法（公職選挙法）、高裁（高等裁判所）、公取委（公正取引委員会）、国保連（国民健康保険団体連合会）、生協（生活協同組合）、税調（税制調査会）、中教審（中央教育審議会）、中労委（中央労働委員会）、東証（東京証券取引所）、独禁法（独占禁止法）、日銀（日本銀行）、入管庁（出入国在留管理庁）、連合（日本労働組合総連合会）

1 次の文の（　　）に適切な語句を書きなさい。

　代表的な古代文明であるナイル川流域の1（　　　　　）文明、チグリス・ユーフラテス川流域の2（　　　　　）文明、インドの3（　　　　　）文明、黄河・長江流域の4（　　　　　）文明は、いずれも大きな河川の流域で発展した。

2 次の記述のうち、正しいものには○、誤っているものには×をつけなさい。

1（　　　）古代ギリシャの都市国家では、成年に達したすべての住民が参政権をもつ直接民主制の政治が実現された。

2（　　　）アウグストゥス帝から五賢帝にいたるローマ帝国の最盛期をローマの平和（パックス・ロマーナ）とよぶ。

3（　　　）9世紀に3つに分裂したフランク王国は、それぞれ現在のイタリア・フランス・ドイツの起源となった。

4（　　　）十字軍の遠征は、長期にわたる大量の人と物の移動によって、貨幣経済の発展を促し、荘園制に基づく中世封建制の強化に寄与した。

5（　　　）14世紀のイタリアに始まったルネサンスは、神中心の中世的なあり方から、人間の自我を尊重する気風をつくり、ヨーロッパの封建社会の崩壊を早めた。

6（　　　）パリ市民のバスティーユ牢獄襲撃に端を発したフランス革命は、市民革命のさきがけとなった。

3 次の西暦年にあった事項に○をつけなさい。

1　1861年　ア（　　　）南北戦争　　イ（　　　）クリミア戦争
　　　　　　ウ（　　　）普仏戦争　　エ（　　　）アヘン戦争

2　1917年　ア（　　　）世界恐慌　　イ（　　　）パリ講和会議
　　　　　　ウ（　　　）辛亥革命　　エ（　　　）ロシア革命

4 中国の王朝に関する次の文の内容にあてはまる王朝名をア〜シから選び、記号で答えなさい。

1 実在が確認されている最古の王朝で、甲骨文字を用い、祭政一致の神権政治が行われていた。

2 劉邦が建国。武帝のとき外征により周辺民族を服属させて最盛期を築くが、その後国力が衰え、王莽に国を奪われて滅亡。

3 李淵が建国。律令制・均田制・租庸調制・府兵制を確立、領域を拡大して東アジアの政治・経済・文化の中心となり国際的・貴族的文化が成熟。李白・杜甫らを輩出し、漢詩の韻律が完成した。

4 221 B.C. に成立した最初の統一王朝。郡県政、度量衡・貨幣・文字の統一などで集権化を図った。

5 女真族の王朝。康熙帝は三藩の乱平定、台湾の鄭氏征討により全土の統一を完成、内政にも力をつくし全盛期の基礎を築く。アヘン戦争を機に帝国主義列強の侵略を受け、辛亥革命で滅亡。

| ア | 周 | イ | 隋 | ウ | 殷 | エ | 明 | オ | 前漢 | カ | 南宋 |
| キ | 清 | ク | 唐 | ケ | 秦 | コ | 元 | サ | 後漢 | シ | 北宋 |

5 次の人物ともっとも関係の深い事項をア〜スから選び、記号で答えなさい。

1 ジェファーソン （　　　） 2 ルイ 14 世 （　　　）

3 ボッカチオ 　　（　　　） 4 レーニン （　　　）

5 マルコ・ポーロ （　　　） 6 孫文 　　（　　　）

7 ビスマルク 　　（　　　） 8 溥儀 　　（　　　）

9 カニシカ王 　　（　　　） 10 ルソー （　　　）

11 カール大帝 　　（　　　） 12 ルター （　　　）

13 ナポレオン・ボナパルト（　　　）

ア	鉄血政策	イ	王権神授説	ウ	クシャーナ朝
エ	満州国	オ	東方見聞録	カ	アメリカ独立宣言
キ	三民主義	ク	デカメロン	ケ	ボルシェヴィキ
コ	社会契約論	サ	宗教改革	シ	フランク王国
ス	トラファルガーの海戦				

6 次の事項を年代順に並べかえ、記号で書きなさい。

1 （　　→　　→　　→　　→　　→　　）

　ア　産業革命　　イ　ワイマール憲法　　ウ　パリ・コミューン

　エ　権利章典　　オ　ナントの勅令　　　カ　スペイン継承戦争

2 （　　→　　→　　→　　→　　→　　）

　ア　神曲　　　イ　戦争と平和　　ウ　ドン・キホーテ

　エ　君主論　　オ　ファウスト　　カ　ガリバー旅行記

3 （　　→　　→　　→　　→　　→　　）

　ア　ルネサンス　　イ　イスラム教成立　　ウ　ヘレニズム文化

　エ　啓蒙主義　　　オ　ガンダーラ美術　　カ　六朝文化

4 （　　→　　→　　→　　→　　→　　）

　ア　五・四運動　　イ　アヘン戦争　　ウ　ニューディール政策

　エ　明治維新　　　オ　義和団事件　　カ　日米和親条約

7　次の文の（　　）にあてはまる適切な語句を書き、それぞれの文が説明している人物をア～オから選んで、〔　　〕に記号で書きなさい。

1　モンゴル帝国第5代皇帝であり、帝国の始祖（　　　　　　）の孫。1271年国号を元とし、79年南宋を滅ぼして中国を統一し、周辺諸国を従えて、元の最大版図を形成した。　　　〔　　　〕

2　近代合理主義哲学の祖とされるフランスの哲学者。「我思う、ゆえに我あり」の言葉があり、（　　　　　　）を著した。〔　　　〕

3　哲学では弁証法的唯物論、経済学では剰余価値学説、歴史学では唯物史観、実践論では科学的社会主義を創始した思想家。1848年、エンゲルスとともに（　　　　　　）を発表した。　〔　　　〕

4　統一令でイギリス国教会を確立。スペインの無敵艦隊を破ってイギリスの（　　　　　　）の最盛期を現出した。　　　〔　　　〕

5　アメリカ第16代大統領。奴隷制拡張反対論者で、1860年に彼が大統領に当選すると、（　　　　　　）が起き、この戦争に勝利した直後に暗殺された。　　　　　　　　　　　　　　〔　　　〕

　ア　エリザベス1世　　イ　マルクス　　ウ　リンカン

　エ　フビライ・ハン　　オ　デカルト

1 1—エジプト　2—メソポタミア　3—インダス　4—中国

2 1—×　2—○　3—○　4—×　5—○　6—×

【要点解説】　1 古代ギリシャの都市国家は奴隷制に基づく社会で、その
直接民主制では、参政権は成年男子市民に限られていた。　4 貨幣経済
の発達は、自給自足を基礎とする荘園制に基づく中世封建制の崩壊を早
めた。　6 フランス革命（1789 〜 99 年）は、最初の典型的市民革命と
されるイギリスのピューリタン革命（1642 〜 49 年）、名誉革命（1688
〜 89 年）、アメリカ独立革命（1775 〜 83 年）に次ぐ市民革命。

3 1—ア　2—エ

【要点解説】　1 南北戦争は 1861 〜 65 年、クリミア戦争は 1853 〜 56 年、
普仏戦争は 1870 〜 71 年、アヘン戦争は 1840 〜 42 年。　2 世界恐慌は
1929 年に開始、第一次世界大戦の講和会議であるパリ講和会議は 1919
年、辛亥革命は 1911 年、ロシア革命は 1917 年。

4 1—ウ　2—オ　3—ク　4—ケ　5—キ

5 1—カ　2—イ　3—ク　4—ケ　5—オ　6—キ　7—ア　8—
エ　9—ウ　10—コ　11—シ　12—サ　13—ス

【要点解説】　8 溥儀は、辛亥革命で滅んだ清朝最後の宣統帝で、日本に
よって満州国皇帝とされた。

6 1—オ→エ→カ→ア→ウ→イ　2—ア→エ→ウ→カ→オ→イ
3—ウ→オ→カ→イ→ア→エ　4—イ→カ→エ→オ→ア→ウ

【要点解説】　3 ムハンマドを創始者とするイスラム教の成立は 7 世紀初
頭。ガンダーラ美術は、ヘレニズム文化の影響を受けて紀元前後に成
立。六朝文化は中国の三国時代〜南北朝時代（2 〜 6 世紀）の文化。

7 1—チンギス・ハン（成吉思汗）、エ　2—方法序（叙）説、オ
3—共産党宣言、イ　4—絶対王制、ア　5—南北戦争、ウ

1 次にあげる国の首都を（　）に記入し、もっとも関連の深い
事項をア〜コから選んで、〔　〕に記号で答えなさい。

1	ノルウェー	（　　）〔　　〕	ア　コーヒー
2	ギリシャ	（　　）〔　　〕	イ　ユーロポート
3	タイ	（　　）〔　　〕	ウ　天然ゴム
4	サウジアラビア	（　　）〔　　〕	エ　銅鉱
5	スウェーデン	（　　）〔　　〕	オ　銀
6	チリ	（　　）〔　　〕	カ　ワイン
7	ブラジル	（　　）〔　　〕	キ　原油
8	フランス	（　　）〔　　〕	ク　地中海式農業
9	オランダ	（　　）〔　　〕	ケ　ノーベル賞
10	メキシコ	（　　）〔　　〕	コ　フィヨルド

2 次の文の（　）にあてはまる適切な語句をア〜シから選び、
記号で答えなさい。

　日本列島は、太平洋を取りまく1（　　）に属し、地殻の変動
が激しいため、2（　　）や地震が非常に多い。中部地方には本
州を横断する3（　　）があり、その西端の糸魚川静岡構造線と
よばれる大断層帯で東北日本と西南日本に分かれる。西南日本は諏
訪湖の東で糸魚川静岡構造線と交わる4（　　）で内帯と外帯に
分かれる。三陸海岸や5（　　）には、屈曲の激しい6（　　）
がみられる。日本の気候は7（　　）の影響で四季の変化が明瞭
である。8（　　）の停滞による初夏の多量の降水と、9（　　）
による夏の高温は、日本で10（　　）が発展する要因となった。

ア	フォッサマグナ	イ	モンスーン	ウ	志摩半島
エ	リアス海岸	オ	火山の噴火	カ	シベリア気団
キ	小笠原気団	ク	河岸段丘	ケ	環太平洋造山帯
コ	中央構造線	サ	稲作	シ	梅雨前線

3 次の文の（　　）にあてはまる適切な語句をア〜クから選んで記号で答え、それぞれの文が説明している国名を〔　　〕に書きなさい。

1 国土の4分の1が海水面以下の低地で、これを干拓した（　　　）は肥沃な農耕地となっている。集約度の高い酪農が盛んで、球根類や切り花を栽培する園芸農業に特色がある。　〔　　　　　〕

2 現在のEUの母体となったEECの発足当時からの加盟国である。典型的な（　　　）農業が行われ、果樹と穀類栽培が盛んで、オリーブ・ブドウの世界的生産国である。　〔　　　　　〕

3 ラプラタ川下流域に広がる（　　　　）では、企業的穀物農業・企業的牧畜が発達している。ラテンアメリカ諸国のうち、ヨーロッパ系の人口比率がもっとも高い。　〔　　　　　〕

4 国民の大多数が仏教徒であるこの国は、アジアの（　　　　）地帯にあり、米作が盛んで世界有数の輸出国である。〔　　　　　〕

5 人口密度が低く、企業的牧畜が盛んで、世界有数の羊毛生産国である。鉱物資源に富み、日本にとっては石炭・（　　　　）の最大の輸入先となっている。　　　　　　〔　　　　　〕

ア 三圃式　　イ 地中海式　　ウ パンパ　　エ モンスーン
オ タイガ　　カ ポルダー　　キ 鉄鉱石　　ク 銀

4 次の各地の都道府県名を（　　）に記入し、盛んな産業をア〜タから選んで、〔　　〕に記号で答えなさい。

1	輪島（　　）〔　　〕			2	唐津（　　）〔　　〕		
3	浜松（　　）〔　　〕			4	諏訪（　　）〔　　〕		
5	君津（　　）〔　　〕			6	八代（　　）〔　　〕		
7	盛岡（　　）〔　　〕			8	桐生（　　）〔　　〕		
9	一宮（　　）〔　　〕			10	呉（　　）〔　　〕		
11	水島（　　）〔　　〕			12	燕（　　）〔　　〕		

ア 石油化学　　イ 自動車　　ウ 製鉄　　エ 漆器
オ 精密機械　　カ 絹織物　　キ 造船　　ク 鉄器
ケ セメント　　コ 毛織物　　サ 製紙　　シ 楽器
ス しょう油　　セ 洋食器　　ソ 養鶏　　タ 陶器

5 次の文の下線部が正しければ○をつけ、誤っていれば正しい語句を書きなさい。

1　モルワイデ図法はア<u>正積図法</u>（　　　　　　）の一種で、緯線は平行な直線で高緯度に向かうほど間隔がイ<u>広く</u>（　　　　　　）なり、経線は楕円曲線で極に向かって集中する。

2　メルカトル図法はア<u>正距図法</u>（　　　　　　）の一種で、緯線と経線は直交し、地図上の角度と地球表面上の実際の角度が一致するが、イ<u>高緯度</u>（　　　　　　）地方ほど面積が大きくなる。

3　地中海性気候区の高緯度側にみられるア<u>ステップ</u>（　　　　　　）気候区は、イ<u>偏西風</u>（　　　　　　）などの影響でどの季節にも適度な降水量があり、同じ緯度帯の東岸に比べ冬の気温が高い。

4　温暖湿潤気候区は大陸東岸に位置し、西岸海洋性気候区に比べややア<u>高緯度側</u>（　　　　　　）に分布する。西日本を含む東アジアではイ<u>照葉樹林</u>（　　　　　　）がみられる。

6 次の文はア～ケのどの地域についての説明か、記号で答えなさい。

1（　　　　）この県の県庁所在地である松江市は、宍道湖東岸に位置し、景観にすぐれた観光都市である。

2（　　　　）県北部は讃岐平野、県南部は讃岐山脈で、小豆島など、瀬戸内海の島を含む。県庁所在地は高松市。

3（　　　　）原油の埋蔵量が世界最大で、OPEC には設立当初から加盟しており、中国などへ原油を輸出している南米の国。

4（　　　　）アメリカのカリフォルニア州にあり、IT・先端技術開発の中心地として知られる。

5（　　　　）ギニア湾に面し、カカオの生産が盛んで、世界の生産高の4割ほどをこの国で生産している。

6（　　　　）インドを代表する都市。南アジアにおけるハイテク産業の拠点として、外資系企業も多く進出している。

ア　ベンガルール	イ　コロンビア	ウ　香川県
エ　シリコンバレー	オ　ベネズエラ	カ　愛媛県
キ　コートジボワール	ク　ピッツバーグ	ケ　島根県

1 1―オスロ、コ　2―アテネ、ク　3―バンコク、ウ　4―リヤド、キ
5―ストックホルム、ケ　6―サンティアゴ、エ　7―ブラジリア、ア
8―パリ、カ　9―アムステルダム、イ　10―メキシコシティ、オ
【要点解説】　1・5・6フィヨルドは氷河が刻んだU字谷に海水が侵入
してできた海岸地形。スウェーデンやチリにもみられるが、それぞれノ
ーベル賞、銅鉱と関連づけられる。ノルウェーと関連づけられる選択肢
はフィヨルドしかない。　9オランダのロッテルダムにある大貿易港ユ
ーロポートは、EUの中心部を貫流する国際河川であるライン川の河口
に位置する。

2 1―ケ　2―オ　3―ア　4―コ　5―ウ　6―エ　7―イ　8―
シ　9―キ　10―サ
【要点解説】　日本の気候は中緯度の大陸の東岸気候で、モンスーン（季
節風）の影響で四季の変化がはっきりしている。アジアのモンスーン地
域では例外的に冬の降水量が多いことも特徴的である。

3 1―カ、オランダ　2―イ、イタリア　3―ウ、アルゼンチン
4―エ、タイ　5―キ、オーストラリア
【要点解説】　2EEC発足当初の加盟国は、イタリア・フランス・西ドイ
ツ・ベルギー・オランダ・ルクセンブルクの6か国である。

4 1―石川県、エ　2―佐賀県、タ　3―静岡県、シ　4―長野県、オ
5―千葉県、ウ　6―熊本県、ケ　7―岩手県、ク　8―群馬県、カ
9―愛知県、コ　10―広島県、キ　11―岡山県、ア　12―新潟県、セ

5 1―ア：○、イ：狭く　2―ア：正角図法、イ：○
3―ア：西岸海洋性、イ：○　4―ア：低緯度側、イ：○
【要点解説】　1・2地図は面積が正しい正積図法、角度が正しい正角図
法、距離が正しい正距図法、その他の図法に分類できる。また、投影法
によって、円筒図法、円錐図法、平面図法に分類できる。

6 1―ケ　2―ウ　3―オ　4―エ　5―キ　6―ア

1 次にあげる著作物の著者をア〜ソから選び、記号で答えなさい。

1（　　　）純粋理性批判　　　2（　　　）法の精神

3（　　　）リヴァイアサン　　4（　　　）大唐西域記

5（　　　）プリンキピア　　　6（　　　）人口論

7（　　　）万葉代匠記　　　　8（　　　）愚神礼讃

9（　　　）キリスト教綱要　　10（　　　）資本論

11（　　　）三国通覧図説　　　12（　　　）国富論

13（　　　）自然真営道　　　　14（　　　）君主論

15（　　　）ツァラトゥストラはかく語りき

ア	マルサス	イ	エラスムス	ウ	契沖
エ	カント	オ	モンテスキュー	カ	林子平
キ	ニーチェ	ク	アダム・スミス	ケ	安藤昌益
コ	ホッブズ	サ	ニュートン	シ	玄奘
ス	マルクス	セ	マキャヴェリ	ソ	カルヴァン

2 次の事項に関係が深い人物をア〜セから選び、記号で答えなさい。

1（　　　）実存主義　　　　2（　　　）印象派

3（　　　）自然主義　　　　4（　　　）ロマン主義

5（　　　）写実主義　　　　6（　　　）超現実主義

7（　　　）象徴主義　　　　8（　　　）無政府主義

9（　　　）全体主義　　　　10（　　　）空想的社会主義

11（　　　）功利主義　　　　12（　　　）後期印象派

13（　　　）孤立主義　　　　14（　　　）古典主義

ア	バルザック	イ	ユーゴー	ウ	サン・シモン
エ	プルードン	オ	サルトル	カ	シラー
キ	ムッソリーニ	ク	モンロー	ケ	ダリ
コ	モーパッサン	サ	セザンヌ	シ	ルノワール
ス	ヴェルレーヌ	セ	ベンサム		

3 次にあげる人物が残した名言・名句をア〜ソから選び、記号で答えなさい。

1（　　）クラーク　　　2（　　）ヘロドトス　　　3（　　）パスカル

4（　　）ルイ14世　　　5（　　）リンカン　　　6（　　）ルソー

7（　　）カエサル　　　8（　　）グレシャム　　　9（　　）デカルト

10（　　）ニーチェ　　　11（　　）福沢諭吉　　　12（　　）平塚雷鳥

13（　　）夏目漱石　　　14（　　）与謝野晶子　　　15（　　）寺田寅彦

ア　君死にたまうことなかれ。　　　イ　智に働けば角が立つ。

ウ　元始、女性は実に太陽であった。　エ　少年よ大志を抱け。

オ　悪貨は良貨を駆逐する。　　　カ　賽は投げられた。

キ　天災は忘れたころにやってくる。　ク　我思うゆえに我あり。

ケ　人間は考える葦である。　　　コ　朕は国家なり。

サ　神は死んだ。　　　シ　自然に帰れ。

ス　エジプトはナイルのたまもの。

セ　天は人の上に人を造らず、人の下に人を造らずといえり。

ソ　人民の人民による人民のための政治。

4 次の人物と関係の深い事項をア〜チから選び、記号で答えなさい。

1（　　）関孝和　　　2（　　）メンデル　　　3（　　）ダーウィン

4（　　）ビゼー　　　5（　　）北里柴三郎　　　6（　　）小柴昌俊

7（　　）野口英世　　　8（　　）ノーベル　　　9（　　）湯川秀樹

10（　　）コペルニクス　　　11（　　）ベートーヴェン

12（　　）ドビュッシー　　　13（　　）アインシュタイン

14（　　）シューベルト　　　15（　　）アルキメデス

16（　　）キュリー夫妻　　　17（　　）ガリレオ・ガリレイ

ア　種の起源　　　イ　相対性理論　　　ウ　未完成交響曲

エ　地動説　　　オ　遺伝の法則　　　カ　ダイナマイト

キ　カルメン　　　ク　田園交響曲　　　ケ　振り子の等時性

コ　黄熱病　　　サ　中間子理論　　　シ　牧神の午後への前奏曲

ス　破傷風菌　　　セ　浮力の法則　　　ソ　ラジウム発見

タ　発微算法　　　チ　素粒子ニュートリノ

5 次にあげる作品の作者名をア〜トから選び、記号で答えなさい。

1 (　　) 晩鐘　　　2 (　　) 羅生門　　　3 (　　) にごりえ
4 (　　) 神曲　　　5 (　　) 父と子　　　6 (　　) 阿Q正伝
7 (　　) 老猿　　　8 (　　) 罪と罰　　　9 (　　) ゲルニカ
10 (　　) 睡蓮　　　11 (　　) 狭き門　　　12 (　　) 二都物語
13 (　　) 雪国　　　14 (　　) それから　　15 (　　) ひまわり
16 (　　) 変身　　　17 (　　) 人形の家　　18 (　　) 好色一代男
19 (　　) 武器よさらば　　20 (　　) 若きウェルテルの悩み

ア　ピカソ　　　イ　カフカ　　　ウ　井原西鶴　　　エ　川端康成
オ　モネ　　　　カ　ダンテ　　　キ　イプセン　　　ク　ディケンズ
ケ　魯迅　　　　コ　ゲーテ　　　サ　樋口一葉　　　シ　夏目漱石
ス　ゴッホ　　　セ　芥川龍之介　　　ソ　ヘミングウェイ
タ　高村光雲　　チ　ツルゲーネフ　　　ツ　ドストエフスキー
テ　ミレー　　　ト　アンドレ・ジッド

6 次の各組のなかで異質なものを1つ選び、記号で答えなさい。

	ア	イ	ウ	エ
1	バッハ	ロダン	ヘンデル	シューマン
2	ハイネ	ボイル	ミルトン	バイロン
3	杜甫	李白	陶淵明	王羲之
4	火薬	羅針盤	蒸気機関	活版印刷
5	清	唐	漢	明
6	パンセ	リア王	マクベス	ハムレット
7	源実朝	源頼朝	足利尊氏	足利直義
8	メッカ	ナザレ	メディナ	エルサレム
9	支笏湖	琵琶湖	十和田湖	浜名湖
10	ユタ	ネバダ	ミネソタ	アルバータ
11	黒澤明	太宰治	坂口安吾	遠藤周作
12	額田王	紀貫之	平将門	和泉式部

1 (　　)　2 (　　)　3 (　　)　4 (　　)　5 (　　)
6 (　　)　7 (　　)　8 (　　)　9 (　　)　10 (　　)
11 (　　)　12 (　　)

7 次の文の〔　〕内でもっとも適切な語句を選んで記号を○で囲み、それぞれの文が説明している人物・事項を（　　）に書きなさい。

1　ルネサンス期、〔ア天地創造　イ考える人　ウ最後の晩餐〕などの作品を残した画家、彫刻家、建築家。自然科学の分野でも業績が多く、詩人、思想家としても活躍した万能の天才である。

（　　　　　　　　）

2　平安時代初期、唐風の力強い筆跡を特色とする3人の能書家の総称。嵯峨天皇・〔ア空海　イ最澄　ウ小野道風〕・橘逸勢をいう。

（　　　　　　　　）

3　水鳥の生息地として重要な〔ア森林　イ湿地　ウ河川流域〕の保全とそこに生息する動植物の保護に関する条約。日本では琵琶湖、谷津干潟など53か所が登録されている。

（　　　　　　　　）

4　小惑星探査機としてJAXAにより開発され、2014年に打ち上げ。2019年に小惑星〔ア イトカワ　イ リュウグウ　ウ オトヒメ〕のサンプルを採取し、2020年12月に帰還。次は2031年の小惑星1998KY26到着をめざしている。　（　　　　　　　　）

8 次の記述のうち、正しいものには○、誤っているものには×をつけなさい。

1（　　　）固定資産税は地方税である。

2（　　　）消費税は直接税である。

3（　　　）ウォール街はロンドンにある世界金融の中心地である。

4（　　　）都市が、郊外へ向かって無秩序に蚕食的に拡大していくことを土地バブルという。

5（　　　）インフラは、産業や生活の基盤となる社会資本を意味するインフレーションの略語である。

6（　　　）リストラは、経営再構築を意味するリストラクチャリングの略語である。

7（　　　）日本経済団体連合会（経団連）は、企業、業種別全国団体、地方別経済団体などで構成されている。

１ 1―エ　2―オ　3―コ　4―シ　5―サ　6―ア　7―ウ　8―イ　9―ソ　10―ス　11―カ　12―ク　13―ケ　14―セ　15―キ

【要点解説】　5 プリンキピアは、自然哲学の数学的諸原理ともいう。 12 国富論は、諸国民の富ともいう。

２ 1―オ　2―シ　3―コ　4―イ　5―ア　6―ケ　7―ス　8―エ　9―キ　10―ウ　11―セ　12―サ　13―ク　14―カ

【要点解説】　印象派、ロマン主義、写実主義、超現実主義、象徴主義、古典主義は、文学・絵画・音楽など、芸術の各ジャンルにまたがる概念である。各ジャンルについて代表的な人物と作品を整理しておこう。また、日本の文化史でもこれらに対応する概念があるので、整理しておこう。

３ 1―エ　2―ス　3―ケ　4―コ　5―ソ　6―シ　7―カ　8―オ　9―ク　10―サ　11―セ　12―ウ　13―イ　14―ア　15―キ

【要点解説】　これ以外に、次の言葉もよく出題される。おぼえておこう。万物の尺度は人間である（プロタゴラス）、悪法もまた法なり（ソクラテス）、人間は生まれつき政治的動物である（アリストテレス）、それでも地球は動いている（ガリレオ・ガリレイ）、知は力なり（ベーコン）、見えざる手（アダム・スミス）、万人の万人に対する闘争（ホッブズ）、最大多数の最大幸福（ベンサム）、余の辞書に不可能という文字はない（ナポレオン・ボナパルト）、時は金なり（フランクリン）、地球は青かった（ガガーリン）、己の欲せざる所は人に施すなかれ・朝に道を聞かば夕べに死すとも可なり（孔子）、和をもって貴しとなす（厩戸王）、初心忘るべからず（世阿弥）、善人なおもて往生をとぐいわんや悪人をや（親鸞）、アジアは一つである（岡倉天心）

４ 1―タ　2―オ　3―ア　4―キ　5―ス　6―チ　7―コ　8―カ　9―サ　10―エ　11―ク　12―シ　13―イ　14―ウ　15―セ　16―ソ　17―ケ

【要点解説】　17 ガリレオ・ガリレイは「それでも地球は動いている」の言葉でも知られ、望遠鏡で木星の衛星の観測を行い地動説を確信していたが、ここでもっとも関連が深い事項は振り子の等時性である。

5　1—テ　2—セ　3—サ　4—カ　5—チ　6—ケ　7—タ　8—ツ　9—ア　10—オ　11—ト　12—ク　13—エ　14—シ　15—ス　16—イ　17—キ　18—ウ　19—ソ　20—コ

6　1—イ　2—イ　3—エ　4—ウ　5—ア　6—ア　7—エ　8—イ　9—エ　10—エ　11—ア　12—ウ

【要点解説】　1彫刻家のロダン以外は作曲家。　2物理学者・化学者のボイル以外は詩人。　3書家の王羲之以外は詩人。　4産業革命期の発明である蒸気機関以外はルネサンス期の三大発明。　5女真族の王朝である清以外は漢民族の王朝。　6パスカルが著したパンセ以外はシェイクスピアの作品。　7足利直義以外は征夷大将軍位についた人物。　8キリストの父の生地ナザレ以外はイスラム教の聖地。なお、エルサレムはユダヤ教・キリスト教の聖地でもある。　9汽水湖の浜名湖以外は淡水湖。　10カナダの州アルバータ以外はアメリカの州名。　11映画監督の黒澤明以外は作家。　12武将の平将門以外は歌人。

7　1—ウ、レオナルド・ダ・ヴィンチ　2—ア、三筆　3—イ、ラムサール条約　4—イ、はやぶさ2

【要点解説】　1ミラノのマリア・デッレ・グラツィエ聖堂の壁画である。モナ・リザもレオナルド・ダ・ヴィンチの作品。　2藤原期、仮名や草書体の優雅で流麗な和風の書の能書家3人を総称して三蹟といい、小野道風は藤原佐理、藤原行成とともにその1人にあげられる。　4 2010年に小惑星イトカワから帰還した「はやぶさ」の後継機。

8　1—○　2—×　3—×　4—×　5—×　6—○　7—○

【要点解説】　2消費税は担税者と納税者が異なる間接税である。　3ウォール街はニューヨークにある。　4土地バブルではなくスプロール現象という。　5インフラはインフラストラクチャーの略語である。

ここをチェック

●おぼえておこう－さまざまな名数

【2】二院：衆議院・参議院（日本）、上院・下院（アメリカ）、二官：神祇官・太政官、二聖：柿本人麻呂・山部赤人（歌道）、嵯峨天皇・空海（書道）、二都：南都（奈良）・北都（京都）

【3】三管領：斯波・細川・畠山（室町幕府）、三卿：田安・一橋・清水（徳川）、三家：尾張・紀伊・水戸（徳川）、三景：松島・天橋立・厳島、三権：立法権・行政権・司法権・団結権・団体交渉権・団体行動権（争議権）、三原則：国民主権・基本的人権の尊重・平和主義（憲法）、持たず・作らず・持ち込ませず（非核）、三国協商：イギリス・フランス・ロシア、三国同盟（第一次世界大戦前）：ドイツ・オーストリア＝ハンガリー・イタリア、三山：畝傍山・天香具山・耳成山（大和）、三蹟：小野道風・藤原佐理・藤原行成、三大栄養素：タンパク質・炭水化物・脂質、三大義務：教育・勤労・納税、三代集：古今和歌集・後撰和歌集・拾遺和歌集、三大経済改革：農地改革・財閥解体・労働改革（戦後日本）、三都：江戸・京都・大坂、三筆：嵯峨天皇・空海・橘逸勢、三名園：偕楽園・後楽園・兼六園、三法：労働基準法・労働組合法・労働関係調整法（労働）

【4】四史：史記・前漢書・後漢書・三国志、四書：大学・中庸・論語・孟子、四鏡：大鏡・今鏡・水鏡・増鏡

【5】五感：視覚・聴覚・嗅覚・味覚・触覚、五経：易経・書経・詩経・春秋・礼記、五臓：肝・心・脾・肺・腎

【6】六国史：日本書紀・続日本紀・日本後記・続日本後記・日本文徳天皇実録・日本三代実録、六法：憲法・民法・刑法・商法・民事訴訟法・刑事訴訟法、六歌仙：在原業平・小野小町・僧正遍昭・喜撰法師・大伴黒主・文屋康秀

【7】七草：せり・なずな・ごぎょう・はこべら・ほとけのざ・すずな・すずしろ（春）、はぎ・おばな・くず・なでしこ・おみなえし・ふじばかま・ききょう（秋）

【10】十干：甲・乙・丙・丁・戊・己・庚・辛・壬・癸

【12】十二支：子・丑・寅・卯・辰・巳・午・未・申・酉・戌・亥

理科

生物
物理
化学
地学・理科全般

●傾向と対策●

理科の出題傾向

　理科に関する出題は他の教科に比べて少ない傾向にありますが、最近の科学に対する関心の高まりに伴い、理科を出題する会社がしだいに増加しています。特に自動車・機械・製薬・化学・鉄鋼関係の会社での出題が目立ちます。

　就職試験で出題がもっとも多い科目は生物です。そのなかでも生物体の構成や働き、遺伝に関する出題が多く見られます。次に多く出題されているのは物理で、電流や力学に関する出題が多く、簡単な計算を伴う問題も出題されています。化学では、基本的な化学法則や化学式、物質の性質に関する出題が多くなっています。地学の出題は理科のなかでも少ないようですが、天体や地球に関する諸現象はおさえておきましょう。このほかに、理科全般における法則や原理などの発見者やその内容に関する問題も多いようです。

　選択肢を選ぶ問題や線で結ぶ問題が大半で、記述問題でも語句を答えさせる問題が多く、文章を書かせるような問題はあまり見られません。

理科の受験対策

　基本的な内容がほとんどですので、物理の公式や化学式をおぼえ、生物や地学においても教科書の太字の部分はしっかりおさえておきましょう。中学校の教科書を読み返すことも大切です。特に、自分が受験する会社に関連のある内容はしっかりマスターしましょう。また、新しい科学技術に関する出題も見られるので、日ごろから新聞の科学欄に目を通す習慣をつけておきましょう。

理科のポイント

生物

ダーウィン　進化について自然選択説を提唱。

パスツール　自然発生説を否定。近代微生物学の創始者。

メンデル　エンドウを用いて、遺伝の法則を発見。

ド・フリース　進化について突然変異説を提唱。

細胞をつくる物質　水（65.0％）、タンパク質（15.0％）、脂質（12.0％）、炭水化物など（2.0％）

ビタミンと欠乏症　ビタミンA…夜盲症、ビタミンB₁…脚気、ビタミンC…壊血症、ビタミンD…くる病

だ液　アミラーゼを含み、デンプンを消化。

胃液　ペプシンを含み、タンパク質を消化。

胆汁　肝臓でつくられ、脂肪を乳化。

赤血球　血球ではもっとも多く、ヘモグロビンを含み、酸素を運搬。

白血球　食菌作用をもつものや免疫に関係するものがある。

血小板　血液の凝固に関係する。

血液型と遺伝子型　A型…AA、AO、B型…BB、BO、O型…OO、AB型…AB

自律神経　興奮時に働く交感神経と平静時に働く副交感神経がある。

インスリン　血糖値を低下。欠乏すると糖尿病になる。

寄生　ほかの生物から栄養をとって生活すること。

物理

ガリレイ　振り子の等時性、落下の法則を発見。

ニュートン　万有引力の法則を発見。

アインシュタイン　相対性理論を提唱。

湯川秀樹　中間子の存在を予言。

アルキメデスの原理　浮力の大きさは、物体と同体積の液体の重さと等しい。

運動の法則　m：質量、v：速さ、v_0：初速度、a：加速度、x：移動距離、t：時間のとき、

$$v = v_0 + at、\quad x = v_0 t + \frac{1}{2} at^2、\quad v^2 - v_0{}^2 = 2ax$$

オームの法則　V：電圧、I：電流、R：抵抗　　　$V = IR$

並列回路　電圧は一定。合成抵抗 R は、$\dfrac{1}{R} = \dfrac{1}{R_1} + \dfrac{1}{R_2}$

直列回路　電流は一定。合成抵抗 R は、$R = R_1 + R_2$

電力　電力 P は、$P = IV$

音の速さ　気体より液体、液体より固体中のほうが音は速く進む。空気中での音の速さは、温度 t（℃）のとき、$331.5 + 0.6t$（m/秒）

ドップラー効果　音源が近づいてくるときには音は実際よりも高く聞こえ、音源が遠ざかるときには実際より低く聞こえる。

単位　周波数…Hz（ヘルツ）、力…N（ニュートン）、仕事・エネルギー…J（ジュール）、圧力…Pa（パスカル）、熱量…J（ジュール）、cal（カロリー）、電気量…C（クーロン）、電力…W（ワット）、放射能の強さ…Bq（ベクレル）、Sv（シーベルト）

化学

ドルトン　原子説を提唱、分圧の法則、倍数比例の法則を発見。

アボガドロ　分子説を提唱、アボガドロの法則を発見。

メンデレーエフ　周期表を発表。

カロザース　ナイロンの合成。

ボイルの法則　温度が一定であれば、一定量の気体の体積は、その気体の圧力に反比例する。

シャルルの法則　圧力が一定であれば、一定量の気体の体積は、絶対温度に比例する。

周期表と元素の性質　周期表の左下の元素ほど陽イオンになりやすい。希ガス元素を除き、右上の元素ほど陰イオンになりやすい。

状態変化　凝結…気体→液体、蒸発…液体→気体、凝固…液体→固体、融解…固体→液体、昇華…固体→気体、気体→固体
水の体積変化…ふつう液体→固体で体積は減少するが、水は液体→固体で体積が増加。水の体積は約4℃のとき最小。

pH　pH ＜ 7 は酸性、pH ＝ 7 は中性、pH ＞ 7 はアルカリ性となる。

おもな元素記号　Mg（マグネシウム）、Al（アルミニウム）、P（リン）、
　　　　　　　Ti（チタン）、Mn（マンガン）、Fe（鉄）、Cu（銅）、
　　　　　　　Zn（亜鉛）、Ag（銀）

アンモニア　無色、刺激臭。水溶液はアルカリ性を示す。

塩素　黄緑色、刺激臭。ヨウ化カリウムデンプン紙を青変。

塩化水素　無色、刺激臭。水溶液は塩酸で、酸性を示す。

地学・理科全般

コペルニクス　地動説を提唱。

ケプラー　惑星の運動に関する3つの法則を発見。

フーコー　振り子を用いて地球の自転を証明。

ウェーゲナー　大陸移動説を提唱。

惑星　太陽に近いほうから、水星、金星、地球、火星、木星、土星、
　　　天王星、海王星

月食　満月のとき、太陽―地球―月と一直線上に並ぶと、月が地球の
　　　影に入り、月が見えなくなる現象。

日食　新月のとき、太陽―月―地球と一直線上に並ぶと、太陽が月に
　　　隠れて見えなくなる現象。

偏西風　中緯度地方の上空で、西から東に吹く風。日本付近の天気の
　　　　変化に大きな影響を与える。

寒冷前線　前線に伴い、激しいにわか雨が降る。前線が通過すると、
　　　　　気温が下がり、風向きが変わる。

温暖前線　前線が近づくにつれておだやかな雨が降り続く。前線が通
　　　　　過すると、気温が上がり、天気が回復する。

台風　熱帯低気圧のうち、風速が約17m/s以上のもの。

気圧配置　冬…西高東低、夏…南高北低

酸性雨　化石燃料の燃焼によって生じた硫黄酸化物や窒素酸化物によ
　　　　る強い酸性の雨。

地球の温暖化　大気中の二酸化炭素の増加によって、温室効果が働き、
　　　　　　　気温が上昇する。

オゾン層の破壊　フロンなどによって上空のオゾン層が破壊され、有
　　　　　　　　害な紫外線が地表に降り注ぐ。

1 次の（　　）にあてはまるものをそれぞれ選び、記号で答えなさい。

1　胆汁をつくるのは、（　　）。

　　ア　肝臓　　イ　すい臓　　ウ　胆のう　　エ　十二指腸

2　細胞の化学成分のうち、もっとも多いのは水、次に多いのは、
　　（　　）。

　　ア　炭水化物　　イ　脂質　　ウ　タンパク質　　エ　無機塩類

3　植物の細胞にはあるが、動物の細胞にはないのは、（　　）。

　　ア　ミトコンドリア　　イ　ゴルジ体　　ウ　細胞膜
　　エ　細胞壁

4　アリとアリマキの関係は、（　　）。

　　ア　住み分け　　イ　共生　　ウ　寄生　　エ　天敵

5　進化の原因として突然変異説を唱えたのは、（　　）。

　　ア　ラマルク　　イ　ダーウィン　　ウ　ド・フリース
　　エ　ワイズマン

6　不足すると、夜盲症になるのは、（　　）。

　　ア　ビタミン A　　イ　ビタミン B_1　　ウ　ビタミン C
　　エ　ビタミン D

7　クシクラゲは、（　　）。

　　ア　海綿動物　　イ　腔腸動物　　ウ　環形動物
　　エ　軟体動物

2 ヒトの ABO 式血液型に関する次の文のうち、正しいものを選び、
記号で答えなさい。

ア　A 型同士の両親から生まれる子はすべて A 型となる。

イ　A 型と B 型の両親からはすべての血液型の子が生まれる可能
　　性がある。

ウ　AB 型と O 型の両親からは AB 型と O 型の子が生まれる。

エ　AB 型同士の両親からは AB 型の子しか生まれない。

3 次の文は食物の消化について説明したものです。1〜7にあてはまるものを下からそれぞれ選び、記号で答えなさい。

　デンプンは1（　　）の働きで2（　　）となり、さらにマルターゼの働きで3（　　）となる。

　タンパク質は4（　　）の働きでペプトンとなり、さらにいくつかの消化酵素の働きで、5（　　）まで分解され、吸収される。

　脂肪は6（　　）の働きで脂肪酸と7（　　）に分解される。

ア　フルクトース（果糖）　　イ　グルコース（ブドウ糖）
ウ　マルトース（麦芽糖）　　エ　グリセリン　　オ　アミノ酸
カ　リパーゼ　　キ　ペプシン　　ク　アミラーゼ

4 次の文は光合成について説明したものです。（　　）のなかから適切なものをそれぞれ選び、○をつけなさい。

　植物は、根から吸収されて1（ア道管　イ師管）を通って葉緑体まで運ばれた水と気孔から取り入れた2（ア酸素　イ二酸化炭素）から、光のエネルギーを利用してデンプンなどの栄養分をつくる。このとき、副産物として3（ア酸素　イ二酸化炭素）が発生する。

5 血液の成分には次のようなものがあります。下の説明にあてはまるものをそれぞれ選び、記号で答えなさい。

ア　血しょう　　イ　血小板　　ウ　白血球　　エ　赤血球

1（　　）有形成分のうちもっとも数が多い。
2（　　）食菌作用や抗原抗体反応に関係するものがある。
3（　　）栄養分や二酸化炭素、老廃物などを運ぶ。
4（　　）血液凝固に重要な役割を果たす。
5（　　）ヘモグロビンを含み、酸素を運搬する。

6 次の文はそれぞれ何について説明したものか。
1　弱毒化あるいは無毒化した病原菌や毒素を注射などして、体内にこれに対抗する抗体をつくらせること。　　（　　　　　）
2　すい臓から分泌され、血糖値を下げるホルモン。　（　　　　　）

1 次のことがらに関係の深い人名を下からそれぞれ選び、記号で答えなさい。

1　万有引力　（　　）　　2　電磁誘導　（　　）　　3　避雷針　（　　）

4　蒸気機関　（　　）　　5　中間子　（　　）　　6　浮力　（　　）

7　相対性理論（　　）

ア　フランクリン　　　イ　アリストテレス　　　ウ　ファラデー
エ　アルキメデス　　　オ　アインシュタイン　　カ　湯川秀樹
キ　シャルル　　　　　ク　ニュートン　　　　　ケ　ワット

2 次の文のうち、正しいものには○、誤っているものには×をつけなさい。

1　（　　）電流の強さは、かかる電圧に反比例し、電気抵抗の大きさに比例する。

2　（　　）青紫色の光のほうが赤色の光より波長が長い。

3　（　　）警笛を鳴らしながら電車が近づいてくるとき、警笛の音は実際より高く聞こえる。

4　（　　）真空中では、光は伝わるが、音は伝わらない。

5　（　　）豆電球2個を直列につないだときのほうが、並列につないだときよりも、豆電球が明るく輝く。

6　（　　）月面では重力加速度が地球上の約 $\frac{1}{6}$ となる。

3 次の単位記号は何を表しているか。下からそれぞれ選び、記号で答えなさい。

1　Pa（　　）　　2　J（　　）　　3　Bq（　　）　　4　N（　　）

5　Hz（　　）　　6　K（　　）　　7　W（　　）

ア　放射能の強さ　　イ　電力　　ウ　電気量　　エ　周波数
オ　エネルギー　　　カ　圧力　　キ　力　　　　ク　絶対温度

4 次の文の（　　）のなかでもっとも適切なものをそれぞれ選び、○をつけなさい。ただし、重力加速度を 10m/s² とする。

1　電気抵抗 20Ω の電熱線に 3V の電圧をかけると（ア 0.15A　イ 0.3A　ウ 6.6A　エ 60A）の電流が流れる。

2　家庭用のコンセントにはふつう（ア 10V　イ 50V　ウ 100V　エ 500V）の電圧がかかる。

3　1000W の電気ポットに 100V の電圧をかけると（ア 1A　イ 10A　ウ 100A　エ 1000A）の電流が流れる。

4　20m の高さからボールを静かに落下させると（ア 1 秒　イ 2 秒　ウ 3 秒　エ 4 秒）後に地表に到着する。

5　初速 10m/s で投げ上げたボールは、（ア 5m　イ 10m　ウ 15m　エ 20m）の高さまで上がる。

5　次の文の（　　）に適切な語句を入れなさい。

1　物体が外から力を受けないときや、力を受けてもつりあっているときは、静止している物体は静止し続け、運動している物体は①（　　　）運動を続ける。これを②（　　　）の法則という。

2　ばねののびはばねにかかる力の大きさに①（　　　）する。これを②（　　　）の法則という。

3　カーナビゲーションシステムでは、（　　　）を利用して自分の正確な位置を割り出すことができる。

4　ハイブリッドカーは、ブレーキをかけたときにかかる力を利用して発電機を回し、①（　　　）エネルギーを②（　　　）エネルギーに変えている。

5　燃料電池自動車は、（　　　）と酸素を化合させることによって電気エネルギーを得ている。

6　火力発電では、熱エネルギーの約 60% が利用されずに捨てられている。このように捨てられる熱エネルギーを有効利用しようというのが（　　　）である。

7　（　　　）は、変形しても一定以上の温度で加熱するともとの形に戻る金属である。

1 次の物質の元素記号をそれぞれ答えなさい。

1　鉄（　　）　　　2　ウラン（　　）　　　3　マグネシウム（　　）

4　銅（　　）　　　5　チタン（　　）　　　6　アルミニウム（　　）

2 次の化学式はどのような物質を表しているか。下からそれぞれ選び、記号で答えなさい。

1　$KMnO_4$（　　）　　2　$NaHCO_3$（　　）　　3　C_2H_5OH（　　）

4　H_2SO_4（　　）　　5　HNO_3（　　）　　6　CH_3COOH（　　）

ア　酸化マンガン（Ⅳ）　　　イ　酢酸　　　　ウ　メタノール

エ　過マンガン酸カリウム　　オ　亜硝酸　　　カ　亜硫酸

キ　炭酸ナトリウム　　　　　ク　エタノール　ケ　硝酸

コ　炭酸水素ナトリウム　　　サ　硫酸

3 次の文は気体の性質について説明したものです。あてはまる気体の化学式を下からそれぞれ選び、記号で答えなさい。

1　（　　）無色無臭の気体で、石灰水を白濁させる。

2　（　　）無色で刺激臭のある気体で、湿らせた赤色リトマス紙を青変させる。

3　（　　）黄緑色で刺激臭のある気体で、ヨウ化カリウムデンプン紙を青変させる。

4　（　　）無色無臭の気体で、助燃性がある。

5　（　　）無色で刺激臭のある気体で、アンモニアに触れると白煙を生じる。

6　（　　）化石燃料などの燃焼などによって生じる赤褐色の気体で、酸性雨の原因の1つとなる。

ア　HCl　　イ　NO_2　　ウ　H_2　　エ　Cl_2　　オ　N_2

カ　NH_3　　キ　CO_2　　ク　O_2　　ケ　H_2S

4 次の文の（　）に適切な語句を入れなさい。

1　圧力が一定のとき、一定量の気体の体積は絶対温度に①（　　　）する。これを②（　　　）の法則という。

2　ナトリウムやカリウムは①（　　　）金属元素とよばれ、②（　　　）イオンになりやすい。

3　pHとは①（　　　）イオン濃度の逆数の対数のことで、pH＝7のとき、溶液は②（　　　）を示す。

4　ドライアイスは固体の①（　　　）で、室温に置くと、固体からいきなり気体へと変化する。このような現象を②（　　　）という。

5　一定量の水の体積は①（　　　）℃のときもっとも小さい。水が氷になると体積は②（　　　）する。

5 次の（　）にあてはまるものをそれぞれ選び、記号で答えなさい。

1　食塩の結晶は、（　　　）。
ア　分子結晶　　　　イ　金属結晶
ウ　イオン結晶　　　エ　共有結合性結晶

2　原子のままで安定であり、ほかの元素とほとんど化合物をつくらない元素は、（　　　）。
ア　アルカリ土類金属元素　　　イ　ハロゲン元素
ウ　アルカリ金属元素　　　　　エ　希ガス元素

3　原子番号が同じで、質量数の異なる原子同士は、（　　　）。
ア　同位体　　イ　同族体　　ウ　同素体　　エ　異性体

4　ナイロンを発明したのは、（　　　）。
ア　ラザフォード　　　イ　カロザース
ウ　オストワルト　　　エ　湯川秀樹

5　$CuO + H_2 \longrightarrow Cu + H_2O$ という反応で、（　　　）。
ア　Cuは還元され、Hは酸化されている
イ　Cuは酸化され、Hは還元されている
ウ　Cu、Hはともに還元されている
エ　Cu、Hはともに酸化されている

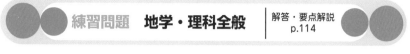

1　次の文の（　　）のなかでもっとも適切なものをそれぞれ選び、○をつけなさい。

1　太陽系の惑星のうち、もっとも大きいものは（ア火星　イ水星　ウ木星　エ土星）である。

2　オゾン層は（ア熱圏　イ対流圏　ウ外気圏　エ成層圏）にある。

3　中緯度地方の上空に吹く西よりの風を（ア偏西風　イ貿易風　ウ赤道風　エ海陸風）という。

4　恐竜が繁栄したのは（ア古生代　イ中生代　ウ新生代　エ先カンブリア時代）のことである。

5　激しいにわか雨を伴い、通過後は気温が下がるのは（ア閉塞前線　イ停滞前線　ウ寒冷前線　エ温暖前線）である。

2　次のことがらに関係の深い人名を下からそれぞれ選んで、記号で答えなさい。

1　天動説（　　）　　2　惑星の運動（　　）

3　地動説（　　）　　4　大陸移動説（　　）

ア　ケプラー　　イ　エラトステネス　　ウ　ウェーゲナー
エ　フーコー　　オ　プトレマイオス　　カ　コペルニクス

3　次の文の（　　）に適切な語句を入れなさい。

1　太陽と地球の間に月が入り、一直線に並んだときには（　　　）とよばれる現象が見られる。

2　明け方、①（　　　）の空に見られる②（　　　）を明けの明星という。

3　潮汐には、おもに（　　　）の引力が関係する。

4　（　　　）とは、地球をおおうプレートの運動によって地殻変動を説明しようとしたものである。

5　マグマが地下深くでゆっくり冷え固まった岩石を①（　　　）といい、②（　　　）組織をもつ。

4 次の文のうち、正しいものには○、誤っているものには×をつけなさい。

1 （　　） 震度は地震のゆれの程度を表し、7段階に分けられる。

2 （　　） 海溝は、海洋プレートが大陸プレートの下に沈み込むところに生じる。

3 （　　） 熱帯低気圧のうち最大風速（10分間平均）がおよそ17m/s以上のものを台風とよび、前線を伴わない。

4 （　　） 恒星のうち、赤いものほど表面温度が高い。

5 （　　） 人類が出現したのは新生代第四紀である。

5 次の（　　）にあてはまるものをそれぞれ選び、記号で答えなさい。

1 西高東低の気圧配置となるのは、（　　）。
　ア　春　　イ　夏　　ウ　秋　　エ　冬

2 地球以外で生物が存在したかもしれないといわれている太陽系の惑星は、（　　）。
　ア　金星　　イ　火星　　ウ　木星　　エ　土星

3 サンゴの化石が見つかった地層の堆積当時の環境は、（　　）。
　ア　暖かく浅い海　　イ　沖合い　　ウ　湖や河口
　エ　寒冷な気候

4 真夜中に南の空に見られる月は、（　　）。
　ア　新月　　イ　三日月　　ウ　半月　　エ　満月

5 もっとも高いところにある雲は、（　　）。
　ア　高層雲　　イ　高積雲　　ウ　巻雲　　エ　積乱雲

6 オゾン層の破壊の原因となるのは、（　　）。
　ア　二酸化炭素　　イ　酸素　　ウ　水素　　エ　フロン

7 温室効果があり、地球温暖化の原因となるのは、（　　）。
　ア　アンモニア　　イ　二酸化炭素　　ウ　窒素　　エ　酸素

8 排気ガスなどに含まれ、酸性雨の原因となるのは、（　　）。
　ア　二酸化硫黄　　イ　塩化水素　　ウ　PCB
　エ　二酸化炭素

解答・要点解説

生物

1 1—ア　2—ウ　3—エ　4—イ　5—ウ　6—ア　7—イ

【要点解説】　1胆汁は肝臓でつくられて胆のうに蓄えられる。　2水、タンパク質、脂質、炭水化物の順。　4住み分けとはよく似た生活様式をもつ2種類以上の生物が生息場所を違えている現象。寄生とは栄養を他の生物からとって生活すること。　5ラマルクは用不用説、ダーウィンは自然選択説、ワイズマンは新ダーウィン説。

2 イ

【要点解説】　A型同士からはA型かO型、AB型とO型からはA型かB型、AB型同士からはA型かB型かAB型の子が生まれる。

3 1—ク　2—ウ　3—イ　4—キ　5—オ　6—カ　7—エ

【要点解説】　アミラーゼはだ液、ペプシンは胃液、リパーゼはすい液に含まれる。

4 1—ア　2—イ　3—アに○

【要点解説】　光合成の反応は、次のように表される。

$$6CO_2 + 12H_2O \longrightarrow C_6H_{12}O_6 + 6H_2O + 6O_2$$

5 1—エ　2—ウ　3—ア　4—イ　5—エ

【要点解説】　1数が多い順に、赤血球、血小板、白血球。　2抗原抗体反応に関係するのは白血球の一種のリンパ球。　5酸素は赤血球中のヘモグロビンと結びついて運ばれる。

6 1—ワクチン療法　2—インスリン

【要点解説】　2インスリンはすい臓のランゲルハンス島のβ細胞から分泌され、これが不足すると糖尿病になる。

物理

1 1—ク　2—ウ　3—ア　4—ケ　5—カ　6—エ　7—オ

【要点解説】　アリストテレスは自然哲学者で、自然発生説などを提唱した。シャルルは、圧力が一定のとき、一定量の気体の体積は絶対温度に比例するというシャルルの法則を発見した。

2 1—×　2—×　3—○　4—○　5—×　6—○

【要点解説】　1電流の強さはかかる電圧に比例し、抵抗の大きさに反比例する。　2赤色の光のほうが青紫色の光より波長が長い。　5豆電球を並列につないだほうが豆電球に流れる電流が強くなる。

3 1—カ　2—オ　3—ア　4—キ　5—エ　6—ク　7—イ

【要点解説】　電気量の単位は C（クーロン）。

4 1—ア　2—ウ　3—イ　4—イ　5—アに○

【要点解説】　1 オームの法則より、$\dfrac{3}{20} = 0.15$（A）　3 電力＝電流×電圧より、$\dfrac{1000}{100} = 10$（A）　4 t 秒後に地表に着くとすると、$20 = \dfrac{1}{2} \times 10 \times t^2$　$t = 2$（秒）　5 x m の高さまで上がるとすると、$-10^2 = 2 \times (-10) \times x$　$x = 5$（m）

5 1①等速直線　②慣性　2①比例　②フック　3人工衛星　4①運動②電気　5水素　6コージェネレーション　7形状記憶合金

【要点解説】　4 ガソリン車はブレーキをかけると、タイヤの運動エネルギーは摩擦によって熱に変わって失われてしまう。　6 コージェネレーションによって得られた熱エネルギーは暖房や給湯に使われる。

化学

1 1—Fe　2—U　3—Mg　4—Cu　5—Ti　6—Al

【要点解説】　このほかに、中学校の理科の教科書に出てくる元素記号は確実におぼえておこう。

2 1—エ　2—コ　3—ク　4—サ　5—ケ　6—イ

【要点解説】　そのほかの選択肢の化学式は、酸化マンガン（IV）MnO_2、メタノール CH_3OH、亜硝酸 HNO_2、亜硫酸 H_2SO_3、炭酸ナトリウム Na_2CO_3 となる。

3 1—キ　2—カ　3—エ　4—ク　5—ア　6—イ

【要点解説】　1 二酸化炭素（CO_2）を石灰水に通すと、炭酸カルシウムができて白濁する。　2 アンモニア（NH_3）の水溶液はアルカリ性を示す。　3 塩素（Cl_2）には、このほかに殺菌作用や漂白作用もある。　6 酸性雨の原因となるものには、二酸化窒素（NO_2）のほかに二酸化硫黄（SO_2）などもある。

4 1①比例　②シャルル　2①アルカリ　②陽　3①水素　②中性　4①二酸化炭素　②昇華　5①4　②増加

【要点解説】　2 ナトリウムとカリウムは周期表の左端の 1 族典型元素で、1 価の陽イオンになりやすい。　3 pH ＜ 7 は酸性、pH ＞ 7 はアルカリ性。　4 昇華とは、固体表面の分子が直接気体分子となって飛び出す現象。　5 一般に液体から固体になると体積は減少するが、氷は隙間の多い結晶構造のため、液体の水から固体の氷になると体積が増加する。

5 1—ウ　2—エ　3—ア　4—イ　5—ア

【要点解説】　1食塩とは塩化ナトリウムのことで、その結晶中では、陽イオンであるナトリウムイオンと陰イオンである塩化物イオンがイオン結合をしている。　2希ガス元素は電子殻の最外殻に電子がいっぱいに入っているので、安定している。　3同族体とは分子式がCH$_2$ずつ違う有機化合物、同素体とは1種類の元素でできた単体で、互いに性質の異なる物質、異性体とは同じ分子式をもつ化合物であるが、構造の違いによって互いに性質が異なるもの。　4ラザフォードはα線による原子核の崩壊実験、オストワルトは硝酸の合成、湯川秀樹は中間子の理論。　5酸素を失う反応が還元、酸素と結びつく反応が酸化である。

地学・理科全般

1 1—ウ　2—エ　3—ア　4—イ　5—ウ

【要点解説】　2オゾン層は地表から高さ約20〜30kmで成層圏にある。

2 1—オ　2—ア　3—カ　4—ウ

【要点解説】　エラトステネスは地球の大きさを算定、フーコーは振り子を用いて地球の自転を証明。

3 1日食　2①東　②金星　3月　4プレートテクトニクス
　　5①深成岩　②等粒状

【要点解説】　1太陽と月の間に地球が入り、一直線に並んだときは月食が起こる。　2金星は内惑星なので、太陽の近くで観察される。西の空で観察される金星は宵の明星といわれる。　3地球上で月に面するところとそのちょうど反対側が満ち潮となる。　4地震や火山活動、造山運動などはプレートとプレートの境目で盛んである。　5マグマが地表や地表近くで急に冷え固まった岩石は火山岩といわれ、斑状組織をもつ。

4 1—×　2—○　3—○　4—×　5—○

【要点解説】　1震度は0から7まであるが、5と6がさらに強・弱の2つに分かれているので、10段階となる。　4恒星の色は、表面温度が高いものから順に、青白色、白色、黄白色、黄色、橙色、赤色となる。

5 1—エ　2—イ　3—ア　4—エ　5—ウ　6—エ　7—イ　8—ア

【要点解説】　1夏の気圧配置は南高北低。　2火星には過去に大量の水が存在した可能性を示す地形があり、生物が存在したかもしれないと考えられている。　6オゾン層には有害な紫外線をさえぎる働きがある。　7二酸化炭素には、地表から放射された熱を吸収して大気を暖める働きがある。

数学

数と式の計算・数列
方程式・不等式
関数とグラフ・三角関数
図形・その他

●傾向と対策●

数学の出題傾向

　理科と同様に数学を出題する会社も比較的少ないですが、やはり、技術系の職種では数多く出題されています。しかし、複雑な問題は少なく、数Ⅰレベルの数学の基礎学力を試す問題が圧倒的に多いようです。応用問題でも、問題の内容を正確に把握し、関係式を導ければ解答することは難しくありません。

　数学のなかでも、数と式の計算や初歩的な方程式・不等式に関するものは必ずといっていいほど出題されています。また、関数とグラフや図形の性質に関する出題も多く見られます。関数とグラフの問題では、二次関数に関するものがもっとも多く、次いで三角関数に関係した問題となります。図形では、平面図形の面積を求める問題が目立ちますが、線分の長さや空間図形の体積を求めるものや平行線や三角形など図形の性質に関するものも見られます。

　出題形式としては、計算問題が圧倒的で、次いで、文章問題、記入式、選択問題となっています。

数学の受験対策

　基本的な問題が大半を占めていますので、数学の苦手な人は、まず中学校の教科書を読み返し、問題を解くことから始めましょう。

　数Ⅰの内容が理解できていれば大丈夫です。教科書に出ている公式をおぼえ、基本的な問題を数多く解くことで数学の実力をつけることができます。そのうえで、できれば数Ⅱなどの範囲も復習して、コツコツと努力することが合格への最短コースです。

数学のポイント

数と式の計算・数列

分数式

$$\frac{mA}{mB} = \frac{A}{B} \qquad \frac{A}{B} \times \frac{C}{D} = \frac{AC}{BD} \qquad \frac{A}{B} \div \frac{C}{D} = \frac{AD}{BC}$$

指数法則　a は正の数、m、n は実数とする。

$$a^m a^n = a^{m+n} \qquad (a^m)^n = a^{mn} \qquad \frac{a^m}{a^n} = a^{m-n}$$

乗法公式

$$(a + b)(c + d) = ac + ad + bc + bd$$

$$(a + b)(a - b) = a^2 - b^2$$

$$(a + b)^2 = a^2 + 2ab + b^2 \qquad (a - b)^2 = a^2 - 2ab + b^2$$

$$(ax + b)(cx + d) = acx^2 + (ad + bc)x + bd$$

$$a^3 + b^3 = (a + b)^3 - 3ab(a + b) = (a + b)(a^2 - ab + b^2)$$

平方根

$$\sqrt{a^2} = |a| = \begin{cases} a\,(a \geqq 0) \\ -a\,(a < 0) \end{cases}$$

分母の有理化

$$\frac{b}{\sqrt{a}} = \frac{b\sqrt{a}}{a}$$

$$\frac{c}{\sqrt{a} + \sqrt{b}} = \frac{c(\sqrt{a} - \sqrt{b})}{(\sqrt{a} + \sqrt{b})(\sqrt{a} - \sqrt{b})} = \frac{c(\sqrt{a} - \sqrt{b})}{a - b}$$

等差数列　初項 a、公差 d とする。

$$a_{n+1} = a_n + d \qquad a_n = a + (n - 1)d$$

等比数列　初項 a、公比 r とする。

$$a_{n+1} = r a_n \qquad a_n = a r^{n-1}$$

方程式・不等式

α、β を解とする 2 次方程式

$$a(x - \alpha)(x - \beta) = 0 \quad (a \neq 0)$$

解と係数の関係　2 次方程式 $ax^2 + bx + c = 0$ の解を α、β とすると、

$$\alpha + \beta = -\frac{b}{a} \quad \alpha\beta = \frac{c}{a}$$

2次方程式の解き方

・因数分解による方法

$(ax + b)(cx + d) = 0$ の形にすると、$x = -\dfrac{b}{a},\ -\dfrac{d}{c}$

・解の公式による方法

$$x = \frac{-b \pm \sqrt{b^2 - 4ac}}{2a}$$

連立方程式の解き方

・代入法…一方の式を $x = \bigcirc$、または $y = \bigcirc$ という形に変形し、もう一方の式に代入する。

・加減法…どちらかの文字の係数をそろえ、2式の両辺を加減する。

2次不等式の解き方 $ax^2 + bx + c = 0 \quad (a > 0)$ の2つの解を α、β $(\alpha < \beta)$ とする。

$ax^2 + bx + c < 0$ の解は $\quad \alpha < x < \beta$

$ax^2 + bx + c > 0$ の解は $\quad x < \alpha$、$\beta < x$

連立不等式の解き方

それぞれの不等式の解の共通部分が解となる。

関数とグラフ・三角関数

$y = ax + b$ のグラフ　傾きが a、y 切片が b

$a > 0$ ならば、右上がり（単調に増加）

$a < 0$ ならば、右下がり（単調に減少）

2次関数のグラフ　$y = ax^2 + bx + c \ (a \neq 0)$ のグラフ

$$y = a\left(x + \frac{b}{2a}\right)^2 - \frac{b^2 - 4ac}{4a}$$ と

変形すると

頂点 $\left(-\dfrac{b}{2a},\ -\dfrac{b^2 - 4ac}{4a}\right)$

$a > 0$ のとき、下に凸

$a < 0$ のとき、上に凸

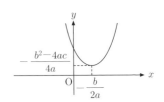

グラフの平行移動　x 軸方向に p、y 軸方向に q

点 $(a,\ b)$ $\longrightarrow$ 点 $(a+p,\ b+q)$

グラフ $y = ax^2$ $\longrightarrow$ $y = a(x-p)^2 + q$

$\qquad\quad y = f(x)$ $\longrightarrow$ $y = f(x-p) + q$

三角比

$$\tan A = \frac{a}{b} \quad \sin A = \frac{a}{c} \quad \cos A = \frac{b}{c}$$

三角比の関係　$0 \leqq \theta \leqq 180°$、$0 \leqq \alpha \leqq 90°$

$$\sin^2 \theta + \cos^2 \theta = 1$$

$$\tan \theta = \frac{\sin \theta}{\cos \theta} \quad 1 + \tan^2 \theta = \frac{1}{\cos^2 \theta}$$

$$\sin(180° - \theta) = \sin \theta \quad \cos(180° - \theta) = -\cos \theta$$

$$\tan(180° - \theta) = -\tan \theta$$

$$\sin(90° \pm \alpha) = \cos \alpha \quad \cos(90° \pm \alpha) = \mp \sin \alpha$$

$$\tan(90° \pm \alpha) = \mp \frac{1}{\tan \alpha} \quad \text{（複号同順）}$$

加法定理（複号同順）

$$\sin(\alpha \pm \beta) = \sin \alpha \cos \beta \pm \cos \alpha \sin \beta$$

$$\cos(\alpha \pm \beta) = \cos \alpha \cos \beta \mp \sin \alpha \sin \beta$$

$$\tan(\alpha \pm \beta) = \frac{\tan \alpha \pm \tan \beta}{1 \mp \tan \alpha \tan \beta}$$

図形

面積と体積

$$\text{おうぎ形の面積} = \pi \times (\text{半径})^2 \times \frac{\text{中心角}}{360°}$$

$$\text{円すいの体積} = \frac{1}{3} \times \pi \times (\text{半径})^2 \times \text{高さ}$$

$$\text{球の体積} = \frac{4}{3} \times \pi \times (\text{半径})^3$$

三角形の合同条件

・3 辺の長さがそれぞれ等しい。

・2 辺の長さとその間の角の大きさがそれぞれ等しい。

・1 辺の長さとその両端の角の大きさがそれぞれ等しい。

1 次の式を計算しなさい。

1　$64 + 18 - 36$　　　　　2　$38 - (24 - 7)$

3　0.46×0.59　　　　　4　$7.56 \div 0.12$

5　$\dfrac{3}{4} + \dfrac{1}{6} - \dfrac{2}{3}$　　　　6　$\dfrac{4}{15} \times \dfrac{9}{2} \div \dfrac{3}{5}$

7　$\sqrt{32} \times \sqrt{8} \times \sqrt{9}$　　　8　$\sqrt{12} \times \sqrt{50} \div \sqrt{6}$

9　$\left\{ \dfrac{2}{3} \div 0.5 - \left(\dfrac{2}{3} \right)^2 \right\} \div \dfrac{1}{3} \times 7.5$

2 次の式のうち、正しいものには○、誤っているものには×をつけなさい。

1　(　　) $a^m a^n = a^{mn}$　　　　2　(　　) $(a^m)^n = a^{m+n}$

3　(　　) $a^0 = 1$　　　　　　　4　(　　) $a\sqrt{b} = \sqrt{ab}$

5　(　　) $\dfrac{b}{\sqrt{a}} = \dfrac{b\sqrt{a}}{a}$　　　　6　(　　) $\dfrac{a^m}{a^n} = a^{\frac{m}{n}}$

3 次の式を因数分解しなさい。

1　$x^2 - 4x + 3$

2　$10x^2 + 9x - 7$

3　$5x^2 - 11x + 2$

4　$x^2 + y^2 - z^2 - 2xy$

5　$x^2 y + y^2 z - y^3 - x^2 z$

6　$9x^3 y + 3x^2 y^2 - 6xy^3$

7　$1 - x + y - xy$

8　$x^2 + 6y - y^2 - 9$

9　$(2x + 1)^2 - (2x + 1) - 6$

10　$x^2 - y^2 - 3x - y + 2$

4 次の式を簡単にしなさい。

1 $\dfrac{\sqrt{3}-\sqrt{2}}{\sqrt{3}+\sqrt{2}}$

2 $\dfrac{2\sqrt{3}-\sqrt{2}}{\sqrt{3}+\sqrt{2}}$

3 $\dfrac{\sqrt{5}+1}{\sqrt{5}-\sqrt{3}}+\dfrac{\sqrt{5}-1}{\sqrt{5}+\sqrt{3}}$

4 $\dfrac{2\sqrt{2}+\sqrt{5}}{2\sqrt{2}-\sqrt{5}}$

5 次の問いに答えなさい。

1 $x+y=7$、$xy=12$ のとき、次の式の値を求めなさい。

x^2+y^2

2 $x=\sqrt{3}+2$、$y=\sqrt{3}-2$ のとき、次の式の値を求めなさい。

x^2+xy+y^2

3 $x=\dfrac{\sqrt{5}+2}{\sqrt{5}-2}$ のとき、次の式の値を求めなさい。

x^2-5x+6

4 $x=\dfrac{\sqrt{7}-2}{\sqrt{7}+2}$、$y=\dfrac{\sqrt{7}+2}{\sqrt{7}-2}$ のとき、次の式の値を求めなさい。

$5x^2+8xy+5y^2$

6 次の式を計算しなさい。

1 $(x^4+4x^3+3x^2-4x-4)\div(x^2+x-2)$

2 $\dfrac{x^3+x}{x-3}\times\dfrac{x^2-4x+3}{x^2+1}\times\dfrac{x^2+2x+1}{x^2-1}$

3 $\dfrac{x^2+x-12}{x^2+2x}\times\dfrac{x^2-2x-8}{x^2-6x+9}\times\dfrac{x^2-3x}{x^2-16}$

7 次の◻に適切な数字を入れなさい。

1 1、4、7、◻、13、…

2 1、3、◻、27、81、…

3 1、−2、4、◻、16、−32、…

4 1、2、◻、7、11、16、…

5 1、3、7、15、◻、63、…

1 次の方程式を解きなさい。

1　$x^2 - 81 = 0$ 　　　　　　2　$x^2 - 5x + 6 = 0$

3　$4x^2 + 20x + 25 = 0$ 　　4　$2x^2 - 3x + 1 = 0$

5　$2x^2 + 4x - 6 = 0$ 　　　6　$6x^2 + 2x - 20 = 0$

7　$(x - 1)^2 = 9$ 　　　　　8　$x^3 - x^2 - 12x = 0$

9　$x^3 - 4x^2 - x + 4 = 0$ 　10　$x^3 - 3x^2 - 4x + 12 = 0$

2 次の連立方程式を解きなさい。

1　$\begin{cases} 2x + y = -6 \\ 3x - 4y = 2 \end{cases}$ 　　　　2　$\begin{cases} 2x + y = 7 \\ x = y - 1 \end{cases}$

3　$\begin{cases} 3x + 6y = 0 \\ 2x + y = -6 \end{cases}$ 　　　4　$\begin{cases} 3x + 5y = 5 \\ -4x - 8y = -4 \end{cases}$

5　$\begin{cases} x + y = 5 \\ x^2 + y^2 = 13 \end{cases}$ 　　　6　$\begin{cases} x + y = 1 \\ x^2 + 2xy - y = 1 \end{cases}$

7　$\begin{cases} x + y = 4 \\ x + 2z = 7 \\ 2y + z = 4 \end{cases}$ 　　　8　$\begin{cases} 2x + y - 3z = -2 \\ -3x + y - 4z = 2 \\ x - 2y + 5z = -2 \end{cases}$

3 次の不等式を解きなさい。

1　$2x + 1 < 3x - 2$ 　　　　2　$3(x - 2) \geqq 8 - 4x$

3　$x(x - 4) \leqq 12$ 　　　　4　$x(x + 1) > 12$

5　$2x(x - 1) > 2(x + 3)$ 　6　$x^2 - 3x + 1 < 0$

4 次の不等式を同時に満足する範囲を求めなさい。

1　$\begin{cases} 3x - 2 > 7 \\ 2x + 13 \geqq 4x - 5 \end{cases}$ 　　2　$\begin{cases} 3x - 8 \leqq x + 2 \\ 5x - 10 < 7x + 12 \end{cases}$

3　$\begin{cases} x^2 + x - 6 < 0 \\ x^2 + x - 2 > 0 \end{cases}$ 　　4　$\begin{cases} x^2 - x - 12 < 0 \\ x^2 - 2x \geqq 0 \end{cases}$

5 次の文の（　）に適切な数字を入れなさい。

1　比例式 $6 : 7 = 12 : x$ を解くと、$x =$（　　）。

2　不等式 $3x - 8 < 5x - 4$ を解くと、$x >$（　　）。

3　無理方程式 $\sqrt{x - 15} = 10$ を解くと、$x =$（　　）。

4　無理方程式 $\sqrt{x + 4} - \sqrt{6 - x} = 0$ を解くと、$x =$（　　）。

5　方程式 $|x - 5| = 7 - 3x$ を解くと、$x =$（　　）。

6　方程式 $\dfrac{7}{x} + \dfrac{x}{x - 6} = 8$ を解くと、$x =$（　　）。

6 次の問いに答えなさい。

1　10％の食塩水が 100 g ある。この食塩水の濃度を 20％にするためには、あと何 g の食塩を溶かせばよいか。

2　現在、父親の年齢と息子の年齢の和は 70 歳である。また、来年には父親の年齢が息子の年齢の 3 倍となる。現在の父親の年齢は何歳か。

3　時速 63 km で走っている列車が 330 m あるトンネルにさしかかって、完全にトンネルをぬけるまでに 24 秒かかった。この列車の長さは何 m か。

4　50 円の紙と 80 円の紙を合わせて 3480 円分購入した。80 円の紙の枚数は 50 円の紙の枚数の 3 倍であった。購入した 50 円の紙の枚数は何枚か。

5　ある川に沿った A 町と B 町の間を往復する船があり、上りには 7 時間、下りには 3 時間かかった。A 町と B 町との距離が 42 km のとき、川の流速は時速何 km か。

6　トマトを 100 個仕入れ、仕入れ値の 5 割増しの定価をつけたが、そのうち 10 個が売れ残り、利益は 1750 円となった。トマト 1 個あたりの仕入れ値はいくらか。

1 次の2次関数のグラフの頂点の座標を求めなさい。

1　$y = x^2 - 4x + 8$　　　　　2　$y = 3x^2 - 12x + 7$

3　$y = -\dfrac{x^2}{2} + 3x - \dfrac{1}{2}$　　　　4　$y = 4x^2 - 2x + 7$

2 次の条件を満たす2次関数を求めなさい。

1　頂点の座標が（1，3）で、点（0，5）を通る2次関数。

2　3点（1，2）、（0，3）、（-1，6）を通る2次関数。

3　2次関数 $y = -x^2$ のグラフを、x 軸方向に -5、y 軸方向に 4 平行移動させたグラフを示す2次関数。

4　2次関数 $y = x^2$ のグラフを、頂点が（2，-1）になるように 平行移動させたグラフを示す2次関数。

3 次の［A群］のグラフと関係の深い方程式を［B群］から選び、線で結びなさい。

［A群］

1　直　　線・

2　双曲線・

3　円　　・

4　放物線・

［B群］

・Ⓐ　$x^2 + y^2 - 4y - 4 = 0$

・Ⓑ　$y = 4x^2 + 7x + 3$

・Ⓒ　$2xy = 5$

・Ⓓ　$y = -x + 9$

4 次の問いに答えなさい。

1　$0 \leqq x \leqq 4$ のとき、$y = -x^2 + 2x + 3$ の最大値と最小値を求めなさい。

2　$-3 \leqq x \leqq 1$ のとき、$y = 2x^2 + 4x + 1$ の最大値と最小値を求めなさい。

3　$-1 \leqq x \leqq 2$ のとき、$y = -x^2 + 2x + 6$ の最大値と最小値を求めなさい。

5 長さ 16 cm の針金で長方形をつくるとき、面積が最大になるようにするには、針金をどのように折り曲げればよいか答えなさい。

6 2 次関数 $y = x^2 - 2x + 3$ のグラフは、2 次関数 $y = x^2 - 6x + 14$ のグラフをどのように平行移動させたものか。

7 右の図において、次の値を求めなさい。
1 $\sin \theta$
2 $\cos \theta$
3 $\tan \theta$

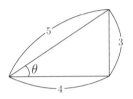

8 θ が鋭角で、$\sin \theta = \dfrac{1}{3}$ のとき、次の値を求めなさい。
1 $\cos \theta$ 2 $\tan \theta$

9 次の三角比を鋭角の三角比で表しなさい。
1 $\sin 165°$ 2 $\cos 155°$
3 $\tan 140°$

10 次の式を簡単にしなさい。
1 $\cos \theta + \cos(90° + \theta) + \cos(90° - \theta) + \cos(180° - \theta)$
2 $\sin 160° - \sin 20° - \cos 70° - \cos 110°$
3 $\sin 80° + \sin 160° + \cos 110° + \cos 170°$

11 $\cos \alpha = \dfrac{1}{2}$、$\sin \beta = \dfrac{1}{3}$ のとき、次の値を求めなさい。ただし、α は鋭角、β は鈍角とする。
1 $\sin \alpha$
2 $\cos \beta$
3 $\sin(\alpha + \beta)$
4 $\cos(\alpha - \beta)$

解答・要点解説
p.130

1　次の図の斜線の部分の面積をそれぞれ求めなさい。ただし、円周率を π とする。

1

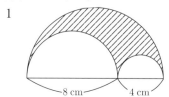

2

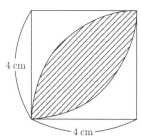

3

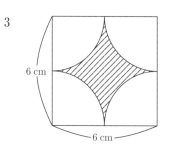

4

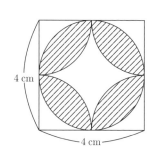

2　次の立体の体積をそれぞれ求めなさい。ただし、円周率を π とする。

1

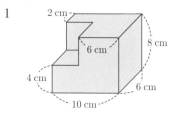

2

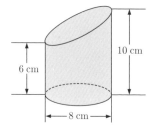

126

3 次の図で、x、y の値をそれぞれ求めなさい。

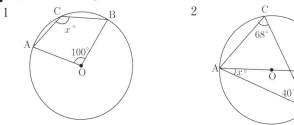

4 次の図で、△ABC の高さ AD と面積を求めなさい。

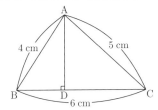

5 100 人の学生に対して、「数学が好きか、好きではないか」および「数学が得意か、得意ではないか」について調査した。「数学が好き」と答えた人は 45 人、「数学が得意」と答えた人は 31 人、「数学は好きでも得意でもない」と答えた人は 39 人であった。「数学が好きで、得意である」と答えた人は何人か。

6 2 進法の 100110 を 10 進法で表しなさい。

7 男子が 4 人、女子が 2 人のグループがある。全員が一列に並ぶとき、女子 2 人が隣り合うような並び方は何通りあるか。

8 サイコロを 2 個投げたとき、目の和が 6 となる確率を求めなさい。

数と式の計算・数列

1 1 **46** 2 **21** 3 **0.2714** 4 **63** 5 $\dfrac{1}{4}$ 6 **2** 7 **48**

8 **10** 9 **20**

2 1—× 2—× 3—○ 4—× 5—○ 6—×

【要点解説】 1 $a^m a^n = a^{m+n}$ 2 $(a^m)^n = a^{mn}$

4 $a\sqrt{b} = \sqrt{a^2 b}$ 6 $\dfrac{a^m}{a^n} = a^{m-n}$

3 1 $(x-1)(x-3)$ 2 $(2x-1)(5x+7)$

3 $(x-2)(5x-1)$ 4 $(x-y+z)(x-y-z)$

5 $(x+y)(x-y)(y-z)$ 6 $3xy(x+y)(3x-2y)$

7 $(1-x)(1+y)$ 8 $(x+y-3)(x-y+3)$

9 $2(x-1)(2x+3)$ 10 $(x-y-2)(x+y-1)$

4 1 $5-2\sqrt{6}$ 2 $8-3\sqrt{6}$ 3 $5+\sqrt{3}$ 4 $\dfrac{13+4\sqrt{10}}{3}$

【要点解説】 まず、分母を有理数にする。

5 1 **25** 2 **13** 3 $122+52\sqrt{5}$ 4 $\dfrac{2402}{9}$

【要点解説】 1 $x^2+y^2 = (x+y)^2 - 2xy$ 4 $x+y$、xy の値を計算
して、$5x^2+8xy+5y^2 = 5(x+y)^2 - 2xy$ に代入する。

6 1 $(x+1)(x+2)$ 2 $x(x+1)$ 3 **1**

【要点解説】 因数分解してから考える。

7 1 **10** 2 **9** 3 **−8** 4 **4** 5 **31**

【要点解説】 隣り合う数字の差を求めてみる。

方程式・不等式

1 1 $x=\pm 9$ 2 $x=2, 3$ 3 $x=-\dfrac{5}{2}$ 4 $x=\dfrac{1}{2}, 1$

5 $x=-3, 1$ 6 $x=-2, \dfrac{5}{3}$ 7 $x=-2, 4$

8 $x=-3, 0, 4$ 9 $x=-1, 1, 4$ 10 $x=-2, 2, 3$

【要点解説】 9 $x^3-4x^2-x+4 = x^2(x-4)-(x-4) = (x+1)(x-1)(x-4)$ 10 $x^3-3x^2-4x+12 = x^2(x-3)-4(x-3) = (x-3)(x^2-4) = (x-3)(x+2)(x-2)$

2 1 $x = -2$, $y = -2$ 2 $x = 2$, $y = 3$ 3 $x = -4$, $y = 2$

4 $x = 5$, $y = -2$ 5 $x = 2$, $y = 3$ または $x = 3$, $y = 2$

6 $x = 1$, $y = 0$ または $x = 2$, $y = -1$ 7 $x = 3$, $y = 1$, $z = 2$

8 $x = -1$, $y = 3$, $z = 1$

3 1 $x > 3$ 2 $x \geqq 2$ 3 $-2 \leqq x \leqq 6$ 4 $x < -4$, $3 < x$

5 $x < -1$, $3 < x$ 6 $\dfrac{3 - \sqrt{5}}{2} < x < \dfrac{3 + \sqrt{5}}{2}$

【要点解説】 $ax^2 + bx + c = 0(a > 0)$ の解を α、$\beta(\alpha < \beta)$ とすると、$ax^2 + bx + c < 0$ の解は、$\alpha < x < \beta$、$ax^2 + bx + c > 0$ の解は、$x < \alpha$, $\beta < x$

4 1 $3 < x \leqq 9$ 2 $-11 < x \leqq 5$ 3 $-3 < x < -2$, $1 < x < 2$ 4 $-3 < x \leqq 0$, $2 \leqq x < 4$

5 1 **14** 2 -2 3 **625** 4 **1** 5 **1** 6 $\dfrac{6}{7}$, **7**

6 1 **12.5 g** 2 **53 歳** 3 **90 m** 4 **12 枚** 5 **時速 4 km**

6 **50 円**

【要点解説】 3 列車は、トンネルの長さ＋列車の長さを移動するのに20 秒かかる。 5 上りの船の速さは、静水時の船の速さ－流速、下りの船の速さは、静水時の船の速さ＋流速

関数とグラフ・三角関数

1 1 $(2, 4)$ 2 $(2, -5)$ 3 $(3, 4)$ 4 $\left(\dfrac{1}{4}, \dfrac{27}{4}\right)$

【要点解説】 $y = a(x - p)^2 + q$ の形に直す。

2 1 $y = 2x^2 - 4x + 5$ 2 $y = x^2 - 2x + 3$

3 $y = -x^2 - 10x - 21$ 4 $y = x^2 - 4x + 3$

【要点解説】 2 $y = ax^2 + bx + c$ に通る 3 点を代入する。

3 1—Ⓓ 2—Ⓒ 3—Ⓐ 4—Ⓑ

4 1 最大値 4, 最小値 -5 2 最大値 7, 最小値 -1

3 最大値 7, 最小値 3

5 1 辺が 4 cm の正方形になるように折り曲げる。

【要点解説】 長方形の 1 辺を x とすると、面積 y は $y = x(8 - x)$ となる。$0 < x < 8$ で、最大値となる x の値を求める。正方形は広義の長方形に含まれる。

6 x 軸方向に -2、y 軸方向に -3 平行移動させたもの。

7 1 $\dfrac{3}{5}$ 2 $\dfrac{4}{5}$ 3 $\dfrac{3}{4}$

8 1 $\dfrac{2\sqrt{2}}{3}$ 2 $\dfrac{\sqrt{2}}{4}$

9 1 $\sin 15°\,(\cos 75°)$ 2 $-\cos 25°\,(-\sin 65°)$

  3 $-\tan 40°\left(-\dfrac{1}{\tan 50°}\right)$

【要点解説】 $\sin(180°-\theta)=\sin\theta$、$\cos(180°-\theta)=-\cos\theta$、$\tan(180°-\theta)=-\tan\theta$

10 1 0 2 0 3 0

【要点解説】 $\sin(90°\pm\alpha)=\cos\alpha$、$\cos(90°\pm\alpha)=\mp\sin\alpha$

11 1 $\dfrac{\sqrt{3}}{2}$ 2 $-\dfrac{2\sqrt{2}}{3}$ 3 $\dfrac{-2\sqrt{6}+1}{6}$ 4 $\dfrac{-2\sqrt{2}+\sqrt{3}}{6}$

図形・その他

1 1 8π cm^2 2 $8\pi-16$ cm^2 3 $36-9\pi$ cm^2

  4 $8\pi-16$ cm^2

【要点解説】 4 半径 2 cm の円と半径 2 cm、中心角 90°のおうぎ形 4 つの面積の和から、1 辺 4 cm の正方形の面積を引けばよい。

2 1 416 cm^3 2 128π cm^3

【要点解説】 2 直径 8 cm、高さ 6 cm の円柱と、直径 8 cm、高さ 4 cm の円柱を 2 等分した立体に分けて考える。

3 1 $x=130$ 2 $x=22$, $y=62$

【要点解説】 2 $\angle\mathrm{BCD}=x°$、$\angle\mathrm{ACB}=90°$より、$x=90-68=22$ $y=40+x$より、$y=40+22=62$

4 高さ $\dfrac{5\sqrt{7}}{4}$ cm 面積 $\dfrac{15\sqrt{7}}{4}$ cm^2

【要点解説】 $\mathrm{BD}=x$ とおくと、$4^2-x^2=\mathrm{AD}^2$、$5^2-(6-x)^2=\mathrm{AD}^2$

  $x=\dfrac{9}{4}$ (cm) $\mathrm{AD}=\sqrt{4^2-\left(\dfrac{9}{4}\right)^2}=\dfrac{5\sqrt{7}}{4}$ (cm)

5 15 人

【要点解説】 $45+31+39-100=15$（人）

6 38

7 240 通り

8 $\dfrac{5}{36}$

英語

熟語動詞・熟語的表現・同意語
反意語と派生語・外来語・ことわざ
英文法・発音・英会話

●傾向と対策●

英語の出題傾向

　企業の国際化が進み、英語力が重要視されるようになってきています。しかし難問は少なく、高校の授業の基礎を勉強しておけばよいでしょう。長文が出題され、短い英文和訳、単語や文法の問題などが総合的に出題される傾向にあります。重要構文などが、高い頻度で文中に出てきます。英熟語は文中の下線部分を埋める形か、語群のなかから選ばせる形で出題されます。また並べ替え問題のなかに英熟語が含まれたり、英語の一語に該当する英熟語を問われたりします。同意語、反意語もよく出題され、ことわざは意味を選ぶ形式で出ます。外来語は現在話題になっている語が出る傾向にあります。発音、アクセントは間違えやすいものが出題されます。カタカナ英語は本来どのように発音すべきかということも問われます。文法は基礎を問う問題が広く出ます。動詞の活用、関係詞の使い方、能動態から受動態への書き換え、仮定法、比較の表現、不定詞、動名詞、時制、前置詞を入れる問題、派生語を問う問題などです。

英語の受験対策

　出題される頻度の高い重要構文を復習すると長文の主題の理解につながるでしょう。英単語は高校の教科書に出ているような基本的な単語を復習しましょう。簡単な英語の物語などを読んで英文に慣れておくという方法もあります。英文法は高校の英文法の教科書のなかから自分の苦手なところを復習しておくとよいでしょう。英会話表現に関してはテレビやラジオの英会話の番組を通して慣れておくと役立ちます。また英検の準2級程度を意識した勉強をしておくと基本的英会話の表現や発音などが身につくでしょう。

おぼえておきたい熟語動詞

belong to 〜		〜に所属する
bring up		育てる、（話題を）持ち出す
call off	= cancel	取り消す
call on	= visit	訪問する
call up	= telephone	電話をする
get along with 〜		〜（人）と仲良くする
get up		起床する
give up	= abandon	あきらめる
give in	= surrender, hand in	降伏する、提出する
keep off 〜		〜に近づけない、避ける
keep up with 〜		〜に遅れないでついていく
look after	= take care of	世話をする
look for	= search for	探す
look forward to	= expect	楽しみにする
look up to	= respect	尊敬する
look down on	= despise	軽蔑する
put off	= postpone	延期する
put on	= wear	着る
put out	= extinguish	（火を）消す
take off		脱ぐ、離陸する
take part in 〜	= participate in	〜に参加する
take place	= happen	起こる
take up	= pick up, begin	取り上げる、始める
turn down	= reject	拒絶する
turn off	= switch off	スイッチを切る
turn on	= switch on	スイッチを入れる
turn out 〜	= prove	〜であることがわかる
turn up	= appear	現れる

a few	少し（数えられる名詞に使う）
a little	少し（数えられない名詞に使う）
(be) able to ～	～ができる
a couple of	2つの、2人の、2・3の
according to ～	～によれば
(be) afraid of ～	～を怖がる
as ～ as possible	できるだけ～
as for ～	～について言えば
at school	学校で
at table	食事中に（で）
because of ～	～の理由で、～のために
between A and B	AとBの間に
both A and B	AもBも両方
but for ～	～がなかったならば
by car, by train	自動車で、電車で
by means of ～	～の手段によって
by way of ～	～経由で
(be) different from ～	～と異なる
do one's best	最善をつくす
each other	（2人で）お互いに
either A or B	AかBのどちらか
enough to ～	～するのに十分な
even if	たとえ…としても
even though	（たとえ）…であっても
(be) famous for ～	～で有名である
far away	ずっと遠くに
(be) fond of ～	～を好む
from A to B	AからBまで
go to bed	寝る、就寝する
(be) good at ～	～が得意である

have to 〜	〜しなければならない
in case of 〜	〜の場合には
in class	授業中に（で）
in order to 〜	〜するために
in spite of 〜	〜にもかかわらず
instead of 〜	〜の代わりに
(be) interested in 〜	〜に興味がある
in trouble	困難に陥って
make a mistake	間違いをする
more and more	ますます、だんだん
more or less	多かれ少なかれ
most of 〜	〜の大部分
neither A nor B	A も B もどちらも…ない
no doubt	確かに、おそらく
not only A but also B	A だけでなく B も
not 〜 yet	まだ〜でない
of course	もちろん、当然
on account of 〜	〜のために
on foot	徒歩で
out of 〜	〜から外へ
plenty of 〜	たくさんの〜
(be) proud of 〜	〜を誇りに思う
rather than 〜	〜よりむしろ
sooner or later	遅かれ早かれ
(be) sorry for 〜	〜を残念に思う、気の毒に思う
thanks to 〜	〜のおかげで
those who 〜	〜する人々
too 〜 to ...	〜すぎて…できない
(be) unable to 〜	〜できない
(be) worried about 〜	〜について心配する
would like to 〜	〜したい

accept	受け取る	receive	hold	支える	support
affect	影響する	influence	huge	巨大な	enormous
allow	許す	permit	idea	考え	thought
answer	答える	reply	joy	喜び	pleasure
anxious	心配する	worried	keep	保持する	maintain
author	作家	writer	large	大きい	big
bear	我慢する	endure, stand	last	最後の	final
			marriage	結婚(式)	wedding
beautiful	美しい	pretty	matter	事柄	affair
carry	運ぶ	convey	modern	現代の	up-to-date
clear	明らかな	evident	need	必要	necessity
collect	集める	gather	old	年老いた	aged
common	普通の	ordinary	order	命令する	command
complete	まったくの	entire	part	部分、役割	role
cost	費用	expense	point	先端	tip
danger	危険	risk	possible	ありそうな	likely
deep	深い	profound	power	力	force
end	終わる	finish	recent	最近の	late
enough	十分な	sufficient	shop	店	store
environment	環境	circumstances	small	小さい	little
expect	予期する	anticipate	sorrow	悲しみ	grief
imagine	想像する	suppose	sort	種類	kind
face	直面する	confront	stop	やめる	cease
famous	有名な	well-known	think	考える	consider
far	遠い	distant	travel	旅行	trip
free	自由な	liberal	view	景色	scenery
get	得る	gain	watch	じっと見る	gaze
happen	起こる	occur	way	方法	method, manner
hard	難しい	difficult			
help	援助	aid	work	仕事	job, task

おぼえておきたい反意語

abstract	抽象的な	$\longleftrightarrow$	concrete	具体的な
anxiety	心配	$\longleftrightarrow$	relief	安心
Arctic	北極の	$\longleftrightarrow$	Antarctic	南極の
body	肉体	$\longleftrightarrow$	soul	精神
comedy	喜劇	$\longleftrightarrow$	tragedy	悲劇
comfort	快適	$\longleftrightarrow$	discomfort	不快
conscious	意識のある	$\longleftrightarrow$	unconscious	無意識の
construction	建設	$\longleftrightarrow$	destruction	破壊
deep	深い	$\longleftrightarrow$	shallow	浅い
demand	需要	$\longleftrightarrow$	supply	供給
dependent	頼っている	$\longleftrightarrow$	independent	独立した
fat	太った	$\longleftrightarrow$	thin, slender	やせた
fortunate	幸運な	$\longleftrightarrow$	unfortunate	不運な
heavy	重い	$\longleftrightarrow$	light	軽い
honest	正直な	$\longleftrightarrow$	dishonest	不正直な
income	収入	$\longleftrightarrow$	outgo, expense	支出
innocent	無罪の	$\longleftrightarrow$	guilty	有罪の
legal	合法の	$\longleftrightarrow$	illegal	違法の
merit	長所	$\longleftrightarrow$	demerit	短所
minimum	最小	$\longleftrightarrow$	maximum	最大
normal	正常な	$\longleftrightarrow$	abnormal	異常な
offense	攻撃	$\longleftrightarrow$	defense	守備
ordinary	普通の	$\longleftrightarrow$	extraordinary	異常な
past	過去	$\longleftrightarrow$	future	未来
produce	生産する	$\longleftrightarrow$	consume	消費する
quality	質	$\longleftrightarrow$	quantity	量
regular	規則的な	$\longleftrightarrow$	irregular	不規則な
thick	厚い	$\longleftrightarrow$	thin	薄い
urban	都市の	$\longleftrightarrow$	rural	田舎の
vacant	空の	$\longleftrightarrow$	occupied	占領された

英語のポイント

137

おぼえておきたいおもな外来語

アーカイブ	archive	スケジュール	schedule
アイデア	idea	スタジアム	stadium
アウトドア	outdoor	スタジオ	studio
アセスメント	assessment	スポンサー	sponsor
アルコール	alcohol	ソフトウェア	software
アンテナ	antenna	ダイナミック	dynamic
イニシアティブ	initiative	ダメージ	damage
イノベーション	innovation	ディスプレイ	display
イメージ	image	デザート	dessert
インセンティブ	incentive	デフォルト	default
インターネット	internet	デリケート	delicate
エッセイ	essay	デリバリー	delivery
エレベーター	elevator	トーナメント	tournament
オーナー	owner	ドキュメンタリー	documentary
オペレーション	operation	ニアミス	near miss
ガイドライン	guideline	ノミネート	nominate
カリスマ	charisma	パーソナリティ	personality
キャラクター	character	ハードウェア	hardware
キャリア	career	パターン	pattern
キャンセル	cancel	バックアップ	backup
キャンペーン	campaign	パニック	panic
クライアント	client	ハプニング	happening
クライマックス	climax	バラエティー	variety
コマーシャル	commercial	バランス	balance
コメント	comment	パンフレット	pamphlet
コラボレーション	collaboration	ビジョン	vision
コンセプト	concept	ファッション	fashion
コンプライアンス	compliance	フィクション	fiction
システム	system	フィルタリング	filtering
スキャナー	scanner	フォーカス	focus

プライバシー	privacy	マネージャー	manager
ブランド	brand	メディア	media
プリンター	printer	メンタル	mental
プレゼンテーション	presentation	モード	mode
プロジェクト	project	モチベーション	motivation
プロセス	process	モニター	monitor
ペナルティ	penalty	ユニーク	unique
ポジティブ	positive	ライセンス	license
ポピュラー	popular	リサーチ	research
ボランティア	volunteer	リスク	risk
ポリシー	policy	レギュラー	regular
マーケティング	marketing	レシート	receipt
マニフェスト	manifesto	レジャー	leisure
マニュアル	manual	ロボット	robot

おぼえておきたいおもな和製英語

アクセル	accelerator	セクハラ	sexual harassment
アパート	apartment house		
アルバイト	part-time job	ダンプカー	dump truck
アンケート	questionnaire	テロ	terrorism
エアコン	air conditioner	ノートパソコン	laptop computer
オーダーメイド	made-to-order	パーカー	hoodie
オートバイ	motorbike	パソコン	personal computer
ガードマン	security guard		
ガソリンスタンド	gas station	フォアボール	walk
キャッチフレーズ	catchword	ブックカバー	book jacket
グレードアップ	upgrade	プレイガイド	ticket office
コンセント	outlet	マンション	condominium
ジェットコースター	roller coaster	モーニングコール	wake-up call
シャープペンシル	mechanical pencil	リストラ	restructuring
スキンシップ	physical contact	リモコン	remote control

おぼえておきたいことわざ

1　A stitch in time saves nine.
〔好機の一針は九針の労を省く〕

2　A bird in the hand is worth two in the bush.
〔明日の百より今日の五十〕

3　A friend in need is a friend indeed.
〔まさかの友が真の友〕

4　Birds of a feather flock together.
〔類は友を呼ぶ〕

5　Everybody's business is nobody's business.
〔共同責任は無責任〕

6　Heaven helps those who help themselves.
〔天は自ら助くる者を助く。自力更生〕

7　Look before you leap.
〔飛ぶ前に見よ。転ばぬ先の杖〕

8　Necessity is the mother of invention.
〔必要は発明の母〕

9　No pains, no gains.
〔労せずば功なし〕

10　Seeing is believing.
〔百聞は一見にしかず〕

11　The early bird catches the worm.
〔早起きは三文の徳〕

12　Where there is a will, there is a way.
〔意志のあるところに道がある〕

13　When in Rome, do as the Romans do.
〔郷に入っては郷に従え〕

14　There is no royal road to learning.
〔学問に王道なし〕

15　Out of sight, out of mind.
〔去る者は日々に疎し〕

おぼえておきたい略語

APEC	Asia-Pacific Economic Cooperation
ASEAN	Association of South-East Asian Nations
EU	European Union
GDP	Gross Domestic Product
IMF	International Monetary Fund
IOC	International Olympic Committee
NATO	North Atlantic Treaty Organization
ODA	Official Development Assistance
OECD	Organisation for Economic Co-operation and Development
WHO	World Health Organization
WTO	World Trade Organization

おぼえておきたい標識・提示

Admission Free	入場無料
Closed	閉店
Emergency Exit	非常口
Keep off the Grass	芝生に立ち入り禁止
No Smoking	禁煙
No Parking	駐車禁止
Off Limits	立ち入り禁止
Wet Paint	ペンキ塗りたて

おぼえておきたい派生語

動詞	名詞	動詞	名詞
advise	advice	know	knowledge
arrive	arrival	lose	loss
believe	belief	obey	obedience
choose	choice	produce	production
educate	education	prove	proof
invent	invention	succeed	success

英語のポイント

1 次の下線部分に前置詞を入れて、日本語に合う英文にしなさい。

1　Jane doesn't want to be turned ____ by this company.
　ジェーンはこの会社から断られたくない。

2　You'd better put ____ the overcoat because it is cold.
　寒いからオーバーを着てください。

3　Tom got ____ at 5:30 am to catch the train.
　トムは電車に乗るために朝5時30分に起きた。

4　This notebook belongs ____ Nancy.
　これはナンシーのノートだ。

5　Yumi called ____ one of her friends with homemade cookies.
　ユミは手作りのクッキーをもって友達を訪問した。

6　The tennis match was called ____ because of the rain.
　テニスの試合は雨のために中止された。

7　Don't give ____ your dream.
　あなたの夢をあきらめてはいけない。

8　Please turn ____ the TV when you go out.
　外出するときにはテレビを消してください。

9　I'm looking forward ____ seeing you soon.
　もうすぐあなたに会えるのを楽しみにしています。

10　Anne looks ____ her grandmother who is sick.
　アンは病気の祖母の世話をしている。

11　Jim took part ____ the contest.
　ジムはコンテストに参加した。

12　The rumor turned ____ to be true.
　そのうわさは真実であることがわかった。

2 次の下線部分に前置詞を入れて英文を完成しなさい。

1　Ken goes to school ____ foot.（徒歩で）

2　Most ____ my friends enjoyed soccer.（ほとんどの）

3　Jane is good ____ tennis.

4　Yumi is afraid ____ the typhoon.

5　My father goes to work ____ train.（電車で）

6　My sister will be able ____ speak English soon.

7　The baseball team was proud ____ the victory.
（勝利を誇りに思った）

8　Jim made a speech ____ class.（授業中に）

9　The bag is too heavy ____ carry.

10　"Do you like ice cream?" "____ course I do."（もちろん）

11　Because ____ the typhoon, the train stopped.

12　According ____ the weather report, it will be sunny tomorrow.

3　次の英単語の同意語を書きなさい。

1　idea　　　　　　2　confront　　　　3　endure

4　cease　　　　　5　power　　　　　6　last（最後の）

7　up-to-date　　　8　far　　　　　　9　help

10　collect　　　　11　end　　　　　　12　wedding

13　cost（費用）　14　maintain　　　15　danger

4　次の英単語の同意語を下の選択肢から選び、記号で答えなさい。

1　environment　　2　part　　　　　3　complete

4　stand　　　　　5　beautiful　　　6　command

7　support　　　　8　way　　　　　　9　necessity

10　common　　　11　huge　　　　　12　allow

〔選択肢〕

a　hold　　　　　b　ordinary　　　c　order

d　permit　　　　e　store　　　　　f　bear

g　method　　　　h　pretty　　　　i　aid

j　enormous　　　k　tip　　　　　　l　entire

m　role　　　　　n　need　　　　　o　circumstances

1 次の語の反意語を書きなさい。

1	maximum	2	thin	3	small
4	soul	5	heavy	6	deep
7	urban	8	demand	9	future
10	construction	11	noisy	12	income
13	tragedy	14	quality	15	defense

2 次の語に dis, il, ir, ab, un, de, in, non などをつけて反意語を書きなさい。

1	honest	2	natural	3	fortunate
4	merit	5	equality	6	conscious
7	regular	8	normal	9	comfort
10	dependent	11	appear	12	happy
13	professional	14	agree	15	legal

3 次の語の動詞形を書きなさい。

1	defense	2	pleasure	3	advice
4	report	5	decision	6	success
7	obedience	8	proposal	9	choice
10	opposition	11	song	12	addition

4 次の外来語を英語のつづりで書きなさい。

1	パンフレット	2	ボランティア	3	リスク
4	スキャナー	5	コンセプト	6	プリンター
7	モニター	8	アルコール	9	システム
10	ファッション	11	エッセイ	12	ダイナミック
13	アンテナ	14	ノミネート	15	フォーカス

5 次の外来語の正しいつづりを選び、記号で答えなさい。

1 コメント （a coment b comment ）
2 スポンサー （a sponsor b sponser ）
3 コマーシャル （a commercial b commertial ）
4 オーナー （a ouner b owner）

6 次の語のうち、和製英語を選び、番号に○をつけなさい。

1 アンケート 2 イニシアティブ 3 リモコン
4 ユニーク 5 デリバリー 6 コンセント
7 マニフェスト 8 マンション 9 バックアップ
10 ダンプカー 11 レシート 12 マニュアル
13 ソフトウェア 14 ガードマン 15 ライセンス

7 下線部分に入る単語を下の語群から選び、記号で答えなさい。

1 A bird in the _____ is worth two in the bush.
（明日の百より今日の五十）
2 No pains, no _____ .
（労せずば功なし）
3 Seeing is _____ .
（百聞は一見にしかず）
4 The early bird catches the _____ .
（早起きは三文の徳）
5 A friend in _____ is a friend indeed.
（まさかの友が真の友）
6 Birds of a _____ flock together.
（類は友を呼ぶ）
7 A stitch in _____ saves nine.
（好機の一針は九針の労を省く）

a need b time c worm
d color e hand f feather
g walk h believing i gains

1 次の動詞の活用変化を書きなさい。

（原形）	（過去形）	（過去分詞形）
1　fly	_____	_____
2　_____	swam	_____
3　grow	_____	_____
4　_____	_____	caught
5　run	_____	_____

2 次の下線の部分にあてはまる関係詞を下から選びなさい。

1　Betty is a student _____ always helps others.

2　This is the most interesting program _____ I have ever watched.

3　Look at the house _____ roof is pink.

4　This is the house _____ Michael lives.

5　Please tell me _____ you know.（知っていること）

（whose, which, who, that, what, where, whom）

3 次の英文を能動態から受動態に書きかえなさい。

1　They speak French in Belgium.（ベルギー）

2　Snow covered Mt. Rokko.

3　John has opened a homepage.

4　The news surprised Mary.

4 次の文を英訳しなさい。

1　あのクッキーはこのクッキーより大きい。

2　私は家に着くとすぐに冷蔵庫を開けた。

3　トムだけでなくジョンもサッカーをする。

4　英語を勉強することは役に立つ。（形式主語 it を使って）

5　もしぼくが彼女のメールアドレスを知っていたら、メールを書

けるのに。(e-mail address)

6　もしぼくが彼女のメールアドレスを知っていたら、メールを書
けるのに。

5　次の語のアクセントのある部分に下線を引きなさい。

1	photograph	2	photographer	3	universe
4	economy	5	until	6	develop
7	prefer	8	industry	9	survival
10	educate	11	admit	12	musician
13	introduce	14	comfortable	15	necessary

6　次の各組のうち、2語の発音が完全に同じ組を選び、番号に○
をつけなさい。

1 { flour / flower }　　2 { coat / caught }　　3 { travel / trouble }

4 { see / sea }　　5 { heard / hard }　　6 { glass / grass }

7 { sing / thing }　　8 { one / won }　　9 { hear / here }

7　次の英文は店での会話です。下線の部分にあてはまる英文を選
択肢から選び、記号で答えなさい。

(A：店員　B：買い物客)

A：　1 ＿＿＿＿＿＿＿＿＿

B：　Yes, please. I'm looking for a pair of sneakers.

A：　What's your size ?

B：　2 ＿＿＿＿＿＿＿＿＿

A：　OK . How about these blue ones ?

B：　Yes, they look good. 3 ＿＿＿＿＿＿＿＿ (The customer tries
on the sneakers.) Well, I think they are tight.

A：　Sorry. We don't have the bigger size. How about these white ones ?

B ：　Yes, I like them. I'll try them on. (The customer tries on the sneakers again.) Oh, good. They are perfect. How much are they ?

A ：　4 _____

B ：　OK . I'll take them. Thank you.

A ：　Thank you. Come again.

〔選択肢〕

a　I don't want to try them on.

b　Let me try them on.

c　Seven and a half.

d　They are fifty dollars plus tax.

e　May I help you ?

f　They are red sneakers.

8 次の質問に対する答えを選び、記号で答えなさい。

1　How tall are you ?

a　100 pounds.　　b　Six feet two.

c　I'm not tall.　　d　Yes, very.

2　How long does it take from your home to the station ?

a　About 500 meters.　　b　It's not very long.

c　Less than 10 minutes.　　d　It's a quite long station.

3　What do you do ?

a　Fine, thank you.　　b　What do you do ?

c　I'm doing my homework.　　d　I'm a musician.

4　How is the weather today ?

a　Cloudy.　　b　He's fine, thank you.

c　Five hundred yen at the cheapest.　　d　No, not today.

5　How did you like the movie ?

a　By train.　　b　Yes, very much.

c　I didn't like it very much.　　d　We had dinner after it.

6　Would you give me a hand ?
　　a　Yes, please.　　b　No, thank you.
　　c　Sure.　　　　　d　No, it's all right now.

9　次の各組のうち、下線部分の発音が同じ組を選び、番号に○を
　　つけなさい。

1 { c<u>a</u>t / s<u>a</u>t }　　2 { g<u>ir</u>l / t<u>ur</u>n }　　3 { h<u>ear</u>t / h<u>ear</u> }

4 { b<u>ou</u>ght / b<u>oa</u>t }　　5 { n<u>o</u> / kn<u>ow</u> }　　6 { r<u>i</u>ght / h<u>i</u>t }

7 { f<u>a</u>mous / f<u>a</u>t }　　8 { w<u>o</u>men / sw<u>i</u>m }　　9 { s<u>ou</u>p / s<u>oa</u>p }

10 { f<u>oo</u>d / m<u>oo</u>n }　　11 { m<u>ea</u>nt / m<u>ea</u>n }　　12 { br<u>ea</u>k / <u>ea</u>t }

13 { k<u>eys</u> / p<u>eas</u> }　　14 { book<u>s</u> / flower<u>s</u> }　　15 { pencil<u>s</u> / dog<u>s</u> }

16 { si<u>ng</u> / ki<u>ng</u> }　　17 { h<u>o</u>t / h<u>a</u>t }　　18 { <u>a</u>te / f<u>a</u>n }

10　次の各組のうち、下線部 "ed" の発音が同じ組を選び、番号に
　　○をつけなさい。

1 { look<u>ed</u> / kick<u>ed</u> }　　2 { paint<u>ed</u> / want<u>ed</u> }　　3 { believ<u>ed</u> / touch<u>ed</u> }

4 { wait<u>ed</u> / earn<u>ed</u> }　　5 { match<u>ed</u> / switch<u>ed</u> }　　6 { learn<u>ed</u> / bak<u>ed</u> }

7 { cook<u>ed</u> / boil<u>ed</u> }　　8 { typ<u>ed</u> / miss<u>ed</u> }　　9 { check<u>ed</u> / help<u>ed</u> }

熟語動詞・熟語的表現・同意語

1 1 down 2 on 3 up 4 to 5 on 6 off 7 up
8 off 9 to 10 after 11 in 12 out

2 1 on 2 of 3 at 4 of 5 by 6 to 7 of
8 in 9 to 10 Of 11 of 12 to

3 1 thought 2 face 3 stand (bear) 4 stop
5 force 6 final 7 modern 8 distant
9 aid 10 gather 11 finish 12 marriage
13 expense 14 keep 15 risk

4 1 o 2 m 3 l 4 f 5 h 6 c
7 a 8 g 9 n 10 b 11 j 12 d

反意語と派生語・外来語・ことわざ

1 1 minimum 2 thick 3 large 4 body
5 light 6 shallow 7 rural 8 supply
9 past 10 destruction 11 quiet 12 outgo (expense)
13 comedy 14 quantity 15 offense (offence)
【要点解説】 1 最小限 7 田舎の 8 供給 9 過去 10 破壊
12 支出 14 量

2 1 dishonest 2 unnatural 3 unfortunate 4 demerit
5 inequality 6 unconscious 7 irregular 8 abnormal
9 discomfort 10 independent 11 disappear 12 unhappy
13 unprofessional (nonprofessional) 14 disagree 15 illegal
【要点解説】 1 不正直な 2 不自然な 4 欠点 5 不公平 6
無意識の 7 不規則な 9 不快、不安 10 独立した 11 消える
14 意見が異なる

3 1 defend 2 please 3 advise 4 report
5 decide 6 succeed 7 obey 8 propose
9 choose 10 oppose 11 sing 12 add

4 1 pamphlet 2 volunteer 3 risk 4 scanner
5 concept 6 printer 7 monitor 8 alcohol
9 system 10 fashion 11 essay 12 dynamic
13 antenna 14 nominate 15 focus

5 1—b 2—a 3—a 4—b

6 1 3 6 8 10 14

7 1—e 2—i 3—h 4—c 5—a 6—f 7—b

英文法・発音・英会話

1 1 flew flown 2 swim swum 3 grew grown
4 catch caught 5 ran run
【要点解説】 このほかの不規則変化する動詞も復習しておくとよい。

2 1 who 2 that 3 whose 4 where 5 what
【要点解説】 1 人は who 2 先行詞が最上級のときは that 3 （その）屋根がピンク色の家を見なさい。 4 ＝ in which これがマイケルが住んでいる家です。 5 what ＝ the thing which what には「こと」、「もの」という先行詞が含まれる。

3 1 French is spoken in Belgium.
2 Mt. Rokko was covered with snow.
3 The homepage has been opened by John.
4 Mary was surprised at the news.
【要点解説】 1 一般的な人々が主語の文が受動態になるとき、by と「動作の主体」を省略することが多い。 2・4 前置詞（with, at）に注意。

4 1 That cookie is bigger than this cookie.
2 As soon as I got home, I opened the refrigerator.
3 Not only Tom but also John plays soccer.
4 It is useful to study English.
5 If I knew her e-mail address, I could write her an e-mail.
6 If I had known her e-mail address, I could have written her an e-mail.

【要点解説】 3　動詞は後者の主語に一致する。　4　It ＝ To study English　It は英語を勉強することをさす。　5　仮定法過去　現在の事実に反する仮定。If ＋主語＋動詞の過去形、主語＋ could（would, should）＋動詞の原形　6　仮定法過去完了　過去の事実に反する仮定。If ＋主語＋ had ＋動詞の過去完了、主語＋ could ＋ have ＋動詞の過去完了

5 1 ph<u>o</u>tograph　2　phot<u>o</u>grapher　3　<u>u</u>niverse　4　ec<u>o</u>nomy
5 unt<u>i</u>l　　6　dev<u>e</u>lop　　7　pr<u>e</u>fer　　8　industry
9 survival　10　<u>e</u>ducate　　11　adm<u>i</u>t　　12　mus<u>i</u>cian
13 intr<u>o</u>duce　14　c<u>o</u>mfortable　15　n<u>e</u>cessary

【要点解説】 2　写真家　3　宇宙　4　経済　6　発展する　7　より好む　8　工業、産業　9　生き残り　10　教育する　11　認める　14　快い　15　必要な

6 1　4　8　9
【要点解説】
1 { flour（fláuər） / flower（fláuər） }　2 { coat（kóut） / caught（kɔ́:t） }　3 { travel（trǽvl） / trouble（trʌ́bl） }
4 { see（sí:） / sea（sí:） }　5 { heard（hə́:rd） / hard（há:rd） }　6 { glass（glǽs） / grass（grǽs） }
7 { sing（síŋ） / thing（θíŋ） }　8 { one（wʌ́n） / won（wʌ́n） }　9 { hear（híər） / here（híər） }

7 1—e　2—c　3—b　4—d
【要点解説】 1　いらっしゃいませ。　2　7.5 です。　3　履いてみさせてください。　4　税別で 50 ドルです。

152

8　1—b　2—c　3—d　4—a　5—c　6—c

【要点解説】　1　「あなたの身長は。」a　100ポンドです。（ポンドは重さの単位。）b　6フィート2インチです。c　私は背が高くありません。d　はい、とても。　2　「あなたの家から駅までどれくらいの時間がかかりますか。」a　約500メートルです。b　そんなに長くはありません。c　10分未満です。d　それはとても長い駅です。　3　「あなたの職業は何ですか。」a　元気です。ありがとう。b　あなたの職業は何ですか。c　私は宿題をしているところです。d　私は音楽家です。　4　「今日の天気はどうですか。」a　くもりです。b　彼は元気です。ありがとう。c　少なくとも500円です。d　いいえ、今日ではありません。　5　「映画はどうでしたか。」a　電車で。b　はい、とても。c　私はその映画があまり好きではありませんでした。d　私たちは映画のあと夕食を食べました。　6　「私を手伝って下さいますか。」a　はい、どうぞ。b　いいえ、結構です。c　もちろん。d　いいえ、もう大丈夫です。

9　1　2　5　8　10　13　15　16

【要点解説】　13・14・15　複数のsの発音は、sの前が有声音（声が出てのどがふるえている音）なら〔z〕となる（例 keys, peas）。sの前が無声音（声が出ていなくてのどがふるえていない音）なら〔s〕となる（例 books）。

3 $\begin{cases} \underline{\text{hea}}\text{rt}〔\text{ɑː}r〕 \\ \underline{\text{hea}}\text{r}〔\text{iə}r〕 \end{cases}$
4 $\begin{cases} \text{b}\underline{\text{ough}}\text{t}〔\text{ɔː}〕 \\ \text{b}\underline{\text{oa}}\text{t}〔\text{ou}〕 \end{cases}$
6 $\begin{cases} \text{r}\underline{\text{igh}}\text{t}〔\text{ai}〕 \\ \text{h}\underline{\text{i}}\text{t}〔\text{i}〕 \end{cases}$

7 $\begin{cases} \text{f}\underline{\text{a}}\text{mous}〔\text{ei}〕 \\ \text{f}\underline{\text{a}}\text{t}〔\text{æ}〕 \end{cases}$
9 $\begin{cases} \text{s}\underline{\text{ou}}\text{p}〔\text{uː}〕 \\ \text{s}\underline{\text{oa}}\text{p}〔\text{ou}〕 \end{cases}$
11 $\begin{cases} \text{m}\underline{\text{ea}}\text{nt}〔\text{e}〕 \\ \text{m}\underline{\text{ea}}\text{n}〔\text{iː}〕 \end{cases}$

12 $\begin{cases} \text{br}\underline{\text{ea}}\text{k}〔\text{ei}〕 \\ \underline{\text{ea}}\text{t}〔\text{iː}〕 \end{cases}$
14 $\begin{cases} \text{book}\underline{\text{s}}〔\text{s}〕 \\ \text{flower}\underline{\text{s}}〔\text{z}〕 \end{cases}$
17 $\begin{cases} \text{h}\underline{\text{o}}\text{t}〔\text{ɑ}〕 \\ \text{h}\underline{\text{a}}\text{t}〔\text{æ}〕 \end{cases}$

18 $\begin{cases} \underline{\text{a}}\text{te}〔\text{ei}〕 \\ \text{f}\underline{\text{a}}\text{n}〔\text{æ}〕 \end{cases}$

10　1　2　5　8　9

【要点解説】　規則動詞の ed の発音は、ed の前が有声音なら〔d〕となる（例 believed, boiled, earned）。ed の前が無声音なら〔t〕となる（例 looked, checked, cooked）。ed の前が t と d なら〔id〕となる（例 painted, waited, wanted）。

ここをチェック

●おぼえておこう─おもな病状の説明と薬

[**What do you say when you are sick ?**]

気分が悪い	I don't feel well.
おなかが痛い	I have a stomachache.
腰が痛い	I have a backache.
歯が痛い	I have a toothache.
頭痛がする	I have a headache.
下痢をしている	I have diarrhea.
熱がある	I have a fever.
便秘をしている	I'm constipated.
生理痛がある	I have cramps.
眠れない	I can't sleep.
寒気がする	I feel chilly.
指を火傷した	I've got my fingers burned.
ハチに刺された	I have been stung by a bee.
切り傷を負った	I cut myself.
足がかゆい	I have an itch on my leg.
目まいがする	I feel dizzy.
吐き気がする	I feel like throwing up; I feel sick.
骨折した	I broke my bone.
手首をねんざした	I have my wrist sprained.
切り傷(虫さされ)の薬はありますか	Do you have anything for cuts (insect bites)?
乗り物酔いの薬はありますか	Do you have anything for carsickness?

咳止めドロップ	cough drops	目薬	eye drops
風邪薬	cold medicine	痛み止め	painkillers
消毒薬	disinfectant	向精神薬	psychotropic
睡眠薬	sleeping pills	抗生物質	antibiotic
軟膏	ointment	注射	injection
消化薬	digestive	点滴	drip
下剤	laxative	うがい薬	gargle

簿記

商業経済
簿記・会計
商業計算

● 傾向と対策 ●

簿記の出題傾向

近年は、職業人としての「即戦力」が求められています。企業に必要な会計帳簿の知識をもち、記帳や計算に習熟していることを前提に、職場で活躍することが期待されています。

簿記の目的は、企業の一定時点における財政状態を明らかにし、一定期間における経営成績を明らかにすることにあります。

試験内容は基本的な問題がほとんどで、広範囲にわたって出題されるのが特徴です。一部の企業では、やや高度な問題が出題されることもありますが、高校の商業科の教科書をきちんと復習しておけば大丈夫です。

簿記の受験対策

3つに分けて簿記の学習をしてみましょう。

1　商業経済　商業経済のしくみや専門用語などを、もう一度整理する。

2　簿記・会計　勘定科目、仕訳のしかたなどを復習し、問題を数多くこなすことが重要。

3　商業計算　原価に対する定価（売価）や割引・利益などの商品売買の計算問題、利子や金利・割引などの計算問題が中心。

簿記は例題や練習問題を自分で実際にやってみることがもっとも大切です。実際の問題をこなすことで、自分の理解の不十分なところがはっきりと見えてきます。

「簿記の基礎」をもう一度教科書で復習し、繰り返し練習問題で記帳や計算を行う。これを心がけてください。

簿記のポイント

固定資産・流動資産　固定資産とは、土地・建物・設備などのように、営業活動のために長期にわたり使用・消耗される資産をいう。建物や設備などを**有形固定資産**というのに対して、権利（特許等）などを**無形固定資産**という。流動資産とは、現金・当座預金・受取手形・売掛金・商品・原料・製品などのように、たえず企業に流入し、また企業から流出していく資産をいう。

固定費・変動費　操業度の変化に関係なく常に一定額発生する費用が固定費。操業度が変化するにつれて増減する費用が変動費。

減価償却　固定資産の価値の減少を、決算日に費用として計上する手続きのこと。

$$1\text{年間の減価償却費} = \frac{\text{取得原価} - \text{残存価格}}{\text{耐用年数}} \quad (\text{定額法})$$

耐用年数　固定資産を使用することができる見積年数のこと。この見積年数は固定資産の種類ごとに税法で定められている。

損益分岐点　利益と損失の分かれ目になる採算点をいう。損益分岐点では売上高と費用が等しいので、利益も損失も生じない。

引当金　将来発生する特定の支出や費用などの債務に対する準備金のことで、次期以降に債務が発生することが予測できるときは、その予想額を今期会計より引き当てる。

剰余金　資本金を超過する株主資本部分のことをいう。毎期の利益の内部留保から生ずる利益剰余金と、株主からの払い込み・合併差益・減資差益などから生ずる資本剰余金がある。

信用状　L/C(Letter of Credit)という。銀行が客の信用を保証するために発行する保証書。輸出入取引における代金決済のときに使われる。

試算表　発生した取引が正しく仕訳され、仕訳帳から総勘定元帳への転記が正しく行われているかどうかを、確かめるために作成する集計表をいう。試算表には、金額の集計のしかたによって、合計試算表・残高試算表・合計残高試算表の3種類がある。

1 次の各文の（　　　）に適する語句を入れなさい。

1　同一業種の企業間で、価格や生産量・販売地域などを協定して、価格維持をはかることで、独占利潤を確保しようとする組織を（　　　）という。

2　株式会社の最高意思決定機関は、（　　　）である。

3　2005年6月に成立した「会社法」では、（　　　）制度は廃止され、株式会社に一本化された。

4　最初の受取人から次の承継取得者に手形の所有権が移る際、手形の裏面に（　　　）をする。

5　わが国の中央銀行は、（　　　）である。

6　他の会社の株式を投資目的ではなく、事業活動支配のために保有する会社を（　　　）という。

7　消費税は、実施当初税率（　　　）％であったが、1997年に（　　　）％、2014年には（　　　）％に引き上げられ、2019年10月にはさらに（　　　）％に引き上げられた。

2 次のA群の語句にもっとも関係の深いものをB群より選び、記号を書きなさい。

A群　1　貸付信託（　　　）2　振替貯金（　　　）3　株券（　　　）
　　　4　小切手（　　　）5　商品券（　　　）

B群　A　生命保険会社　B　日本政策金融公庫　C　普通銀行
　　　D　損害保険会社　E　証券会社　　　　　F　特殊銀行
　　　G　ゆうちょ銀行　H　信託銀行　　　　　I　百貨店

3 次の1〜5の記述のうち、正しいものには○、誤っているものには×をつけなさい。

1　合名会社とは、2人以上の出資者が共同で経営にあたるもので、彼らは有限責任社員である。

2 株式会社は、資本を分割し、株式という証券を発行することで、資金を調達する。

3 株式会社で、取締役は経営実態の監査にあたり、監査役は日常の経営業務を執行する。

4 金融システムの安全性を維持するためのものであるペイオフとは、預金者に対して法的限度内で預金保険金の支払いを保証する制度である。

5 固定資産税、不動産取得税は国税である。

4 次の日本銀行に関する文章で、（　　　）に適する語句を入れなさい。

日本銀行は、（　　　）を独占的に発行する唯一の発券銀行である。また、銀行の銀行としての役目や政府の銀行としての役目も担っている。（　　　）を上下させて、市中金融機関への貸し出しを調整する金利政策を行い、有価証券を金融市場で売買することによって資金量を調整する（　　　）操作も行う。

ここをチェック

●取引要素の結合関係

簿記上の取引は、資産・負債・純資産の増減と費用・収益の発生から構成されており、これらは借方要素と貸方要素に分けられる。すべての簿記上の取引は、これらの取引要素が結びついて構成されている。

（借　方）
資産の増加
負債の減少
純資産の減少
費用の発生

（貸　方）
資産の減少
負債の増加
純資産の増加
収益の発生

1 次の事項のうち、簿記上の取引となるものには○、そうでないものには×を（　）に記入しなさい。

1　火災が発生し、機械など¥1,000,000 分が損傷した。　　（　　）

2　店内に陳列されていた商品¥50,000 分が盗まれた。　　（　　）

3　営業用土地¥5,000,000 分を購入する契約を結んだ。　（　　）

4　製品の材料を¥70,000 で仕入れ、代金は後払いとした。（　　）

5　事務所の1室を月¥100,000 で貸す契約を結んだ。　　（　　）

2 次の各項目を、資産、負債、純資産、費用、収益に分類しなさい。

1　貸付金（　　）　　2　受取利息（　　）　　3　支払地代（　　）

4　借入金（　　）　　5　受取手形（　　）　　6　資本金　（　　）

7　買掛金（　　）　　8　雑益　　（　　）　　9　売掛金　（　　）

10　雑費　（　　）

3 次の取引は取引の8要素からいえば、どのような結びつきになるのかを、例にならって記入しなさい。

例）現金を銀行から借り入れた。（　資産の増加　）―（　負債の増加　）

1　売掛金を現金で受け取った。（　　　　　　　）―（　　　　　　　）

2　買掛金を小切手を振り出して支払った。

　　　　　　　　　　　　　（　　　　　　　）―（　　　　　　　）

3　買掛金の支払いのため約束手形を振り出した。

　　　　　　　　　　　　　（　　　　　　　）―（　　　　　　　）

4　借入金の返済が免除された。（　　　　　　　）―（　　　　　　　）

5　営業費を現金で支払った。　（　　　　　　　）―（　　　　　　　）

6　手数料を現金で受け取った。（　　　　　　　）―（　　　　　　　）

7　株主総会で株主配当金の支払いが承認された。

　　　　　　　　　　　　　（　　　　　　　）―（　　　　　　　）

4 次の取引例の仕訳をしなさい。

1 　電話代￥15,000 と水道代￥2,000 を合わせて現金で支払った。

2 　A 商店から製品￥200,000 分を仕入れ、小切手を振り出して代金を支払った。

3 　得意先の B 商店に商品￥1,000,000 分を売り渡し、代金の半分は同店振出の約束手形で受け取り、残りは掛とした。

4 　所有していた C 商店振出、D 商店引受の為替手形￥854,000 について、満期がきて当座入金されたとの通知が銀行よりきた。

5 　E 商店に対する売掛金￥500,000 について、E 商店振出の約束手形を受け取った。

6 　F 商店に期間 3 ヵ月利率年 5％の約束で￥400,000 を貸し付け、利息を差し引いた残りを現金で渡した。

7 　出張旅費精算で、￥50,000 仮払していた社員から￥65,000 の支出があったとの報告があり、不足分を現金で支払った。

5 次の決算整理事項例の仕訳をしなさい。

1 　東京商店の秋田商店に対する売掛金￥200,000 が貸し倒れとなった。ただし、貸倒引当金の残高は￥320,000 ある。

2 　決算にあたり売掛金残高￥560,000 に対し、5％の貸し倒れを見積もった。貸倒引当金の残高は￥30,000 ある。

3 　決算日の現金勘定残高は￥755,000 で、実際の有高は￥761,000 であった。この差額の原因を調べたところ、￥5,500 は手数料の、￥500 は利息の受け取り記帳もれであった。

4 　1 年分の支払保険料は￥240,000 で、保険契約日から決算日までの経過期間は 6 ヵ月である。

5 　受取家賃￥300,000 について、前受分が￥100,000 ある。

6 　建物￥1,500,000、耐用年数 20 年、残存価額￥150,000 について、定額法によって減価償却費を計上する（記帳は間接法）。

1 次の各問いに答えなさい。

1　ある商品に2割の利益を見込んで定価をつけたが、結局定価の1割引きで売ったので、利益は¥120だった。この商品の原価はいくらか。

2　日歩4銭は年利率何割何分何厘になるか。

3　額面¥2,000,000の手形を銀行で、日歩2銭で割り引いてもらったところ、割引料は¥36,000だった。割引日数は何日だったか。

4　取得原価¥500,000の残存価額は10%、耐用年数9年の備品の減価償却費を、定額法で計算しなさい。

5　商品を売って、総原価の20%の利益を得るためには売価を1ダースいくらにすればよいか。ただし、仕入れ代金は、商品1ダースにつき¥8,050、仕入れ数量50ダース、仕入れ諸掛として運賃¥10,500、保険料¥21,400、保管料¥7,600である。

2 次の各問いに答えなさい。

1　下の資料から売上原価、商品売買益を計算しなさい。

〈期首商品棚卸高〉¥230,000

〈期末商品棚卸高〉¥178,000

〈純仕入高〉¥1,540,000

〈純売上高〉¥2,090,000

2　(　　)に適語を入れなさい。

・貸倒見積額＝(　　)×貸倒償却率（%）

・総売上高−値引・戻り高＝(　　)

・総仕入高−値引・戻し高＝(　　)

3 次の各問いに答えなさい。

1　備品¥2,000,000に対して減価償却を行うとき、この備品のうち¥800,000は期間中に取得したものであり、これについては6

ヵ月分を月割計算して計上する。この場合の減価償却費を定額法で計算しなさい。

　耐用年数：6年

　残存価額：取得原価の10%

2　銀行から¥3,000,000を借り入れた。その際、約束手形を振り出し、利息を差し引いた手取金は当座預金とした。利率は年4%で、借入期間は219日間とすると、支払利息はいくらになるか。

3　元金¥200,000を年6%で、2年9ヵ月借りると元利合計はいくらになるか（1年1期の複利とする）。

ここをチェック

- ●おぼえておこう―さまざまな用語
- ●定額法と直接法

　定額法は減価償却費の計算方法。直接法は減価償却の記帳方法。

- ●評価勘定

　貸倒引当金のように、ある勘定の現在高から差し引いて、その勘定の金額を修正する役割をもった勘定のこと。

- ●損益計算書

　1会計期間に発生したすべての収益と費用を記載し、その差額として当期純利益（または当期純損失）を示すことにより、企業の経営成績を明らかにするもの。

- ●貸借対照表

　会計期末における資産、負債および純資産の内容を記載して、企業の財政状態を明らかにするもの。

- ●財務諸表

　決算手続きが終了し、これらの帳簿記録に基づいて作成される損益計算書や貸借対照表などの決算報告書をいう。

商業経済

1 1―カルテル（企業連合）　2―株主総会　3―有限会社　4―裏書
　5―日本銀行　6―持株会社　7―3、5、8、10

【要点解説】　1企業の結合としてはこのほかに、トラスト（企業合同）、コンツェルン（企業連携）がある。2株主総会では、事業報告と決算の承認を受け、役員（取締役・監査役）の選任を行う。

2 1―H　2―G　3―E　4―C　5―I

【要点解説】　1信託銀行とは、信託業務を取り扱う長期金融機関のこと。信託業務には、金銭信託、貸付信託、証券投資信託などがある。近年は地方銀行などで信託業務への参入がみられる。

3 1―×　2―○　3―×　4―○　5―×

【要点解説】　1合名会社の出資者は無限責任社員。3経営実態の監査を行うのは監査役、日常の経営業務にあたるのは取締役。5固定資産税と不動産取得税は地方税。国税には所得税、法人税、相続税などがある。

4 銀行券、基準割引率および基準貸付利率、公開市場

【要点解説】　日本銀行の金融政策にはこのほかに、預金準備率操作がある。民間銀行が、受け入れた預金の払い出しに備えて、日銀に現金を準備して預け入れておくときの一定割合を預金準備率といい、これを上下させて金融機関の資金量を調整することを預金準備率操作という。

簿記・会計

1 1―○　2―○　3―×　4―○　5―×

【要点解説】　簿記上の取引となるものは、資産、負債、純資産に変化がある事項。契約を結んだだけでは簿記上の取引にはならない。

2 1―資産　2―収益　3―費用　4―負債　5―資産　6―純資産
　7―負債　8―収益　9―資産　10―費用

3 1　（資産の増加）―（資産の減少）　2　（負債の減少）―（資産の減少）
　3　（負債の減少）―（負債の増加）　4　（負債の減少）―（収益の発生）

5 （費用の発生）－（資産の減少）　6 （資産の増加）－（収益の発生）

7 （純資産の減少）－（負債の増加）

【要点解説】　すべての簿記上の取引は、左側の要素と右側の要素とが結びついて成り立っている。

4

	借方科目	金額	貸方科目	金額
1	通信費 水道光熱費	15,000 2,000	現金	17,000
2	仕入	200,000	当座預金	200,000
3	受取手形 売掛金	500,000 500,000	売上	1,000,000
4	当座預金	854,000	受取手形	854,000
5	受取手形	500,000	売掛金	500,000
6	貸付金	400,000	現金 受取利息	395,000 5,000
7	旅費	65,000	仮払金 現金	50,000 15,000

【要点解説】　6 受取利息は、$400,000 \times 0.05 \times 3/12 = 5,000$ で¥5,000となる。

5

	借方科目	金額	貸方科目	金額
1	貸倒引当金	200,000	売掛金	200,000
2	貸倒引当金	2,000	貸倒引当金戻入	2,000
3	現金	6,000	受取手数料 受取利息	5,500 500
4	前払保険料	120,000	支払保険料	120,000
5	受取家賃	100,000	前受家賃	100,000
6	減価償却費	67,500	減価償却累計額	67,500

簿記─解答・要点解説

【要点解説】　2　$30,000 -(560,000 \times 0.05) = 2,000$　4 決算日までの経過期間が 6 ヵ月ということは、あとの 6 ヵ月分が次期に繰り越される金額となる。$240,000 \times 6/12 = 120,000$

商業計算

1 1―¥1,500　2―1割4分6厘　3―90日　4―¥50,000
5―¥10,608

【要点解説】　1 原価を¥x とする。

$1.2x \times (1 - 0.1) - x = 120$　　$(1.2 \times 0.9 - 1)x = 120$

$0.08x = 120$　　$x = 1500$

2　$(0.04 \times 365) \div 100 = 0.146$

3 割引日数を x 日とする。　$(2,000,000 \times 0.02) \div 100 \times x = 36,000$

$400x = 36,000$　　$x = 90$

4 $\dfrac{500,000 - 50,000}{9} = 50,000$

5 1ダースの原価：$8,050 + (10,500 + 21,400 + 7,600) \div 50 = 8,840$

求める定価は、$8,840 + (8,840 \times 20) \div 100 = 10,608$

2 1―売上原価¥1,592,000　商品売買益¥498,000　2―売掛金・受
取手形の期末残高　純売上高　純仕入高

【要点解説】　1 売上原価：期首商品棚卸高＋純仕入高－期末商品棚卸高
＝売上原価　$230,000 + 1,540,000 - 178,000 = 1,592,000$

商品売買益：純売上高－売上原価＝商品売買益

$2,090,000 - 1,592,000 = 498,000$

2 貸倒れを見積もるときに貸倒引当金がある場合

・貸倒見積額＞貸倒引当金

貸倒引当金繰入＝当期の貸倒見積額－貸倒引当金勘定残高

・貸倒見積額＜貸倒引当金

貸倒引当金戻入＝貸倒引当金勘定残高－当期の貸倒見積額

3 1―¥240,000　2―¥72,000　3―¥234,832

【要点解説】　1 $\dfrac{800,000 - 80,000}{6} \times \dfrac{6}{12} = 60,000$

$\dfrac{1,200,000 - 120,000}{6} = 180,000$　　$60,000 + 180,000 = 240,000$

2　$3,000,000 \times 0.04 \times \dfrac{219}{365} = 72,000$

3　$200,000 \times (1 + 0.06)^2 \times \left(1 + 0.06 \times \dfrac{9}{12}\right) = 234,832.4$

本文デザイン■小林辰江
編集協力■植木あみ子／下村良枝／井上幹子
　　　　　ワードクロス

本書に関する正誤等の最新情報は下記のURLでご確認下さい。
https://www.seibidoshuppan.co.jp/support

※上記URLに記載されていない箇所で正誤についてお気づきの場合は、書名・発行日・質
　問事項（ページ数等）・氏名・郵便番号・住所・FAX番号を明記の上、郵送かFAXで成
　美堂出版までお問い合わせ下さい。※電話でのお問い合わせはお受けできません。
※ご質問到着確認後10日前後に回答を普通郵便またはFAXで発送いたします。
※ご質問の受付期限は2025年10月末必着といたします。

高校生の就職試験 一般常識問題集 '26年版

2024年12月1日発行

編　著　成美堂出版編集部

発行者　深見公子

発行所　成美堂出版
　　　　〒162-8445　東京都新宿区新小川町1-7
　　　　電話(03)5206-8151　FAX(03)5206-8159

印　刷　壮光舎印刷株式会社

©SEIBIDO SHUPPAN 2024　PRINTED IN JAPAN
ISBN978-4-415-23904-0
落丁・乱丁などの不良本はお取り替えします
定価はカバーに表示してあります